De la même auteure :

Laura St-Pierre, Journaliste d'enquête, tome 1, roman, Perro Éditeur, 2013.

Laura St-Pierre, Trop jeune pour mourir, tome 2, roman, Perro Éditeur, 2013.

Dernière station, roman, Éditions de Mortagne (coll. Tabou), 2011 [1996].

L'auteure tient à remercier le Conseil des arts et des lettres du Québec pour son appui financier.

PERRO ÉDITEUR
395, avenue de la Station, C.P.8
Shawinigan (Québec) G9N 6T8
www.perroediteur.com

Couverture : Audrey Boilard
Révision : Marie-Christine Payette
Infographie : Geneviève Nadeau

Dépôts légaux : 2014
Bibliothèque et Archives nationales du Québec
Bibliothèque et Archives Canada
ISBN : 978-2-923995-29-8

LINDA CORBO

LAURA ST-PIERRE

LE GRAND FROID
TOME 3

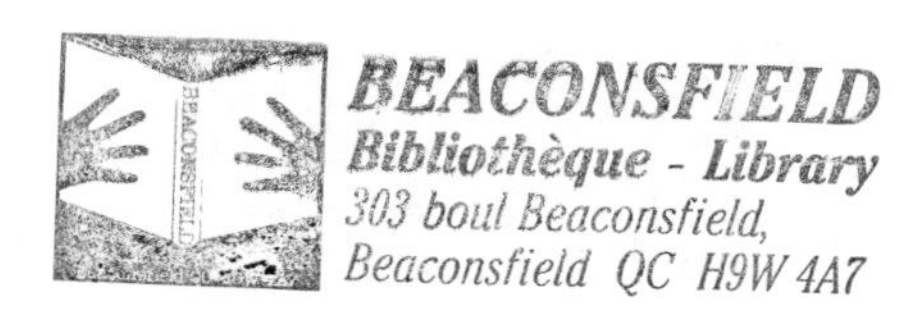

« La vie, c'est comme une bicyclette, il faut avancer pour ne pas perdre l'équilibre. »
– Albert Einstein

PROLOGUE

5 mai, 22 h 45

J'essaie juste de me concentrer sur la terre noire qui salit mes souliers gris. À mon arrivée, il y avait de l'herbe à cet endroit. Je ne sais trop depuis combien de temps je gratte le sol avec la pointe de mes pieds. Je ne sais pas non plus pourquoi je grelotte. Le froid peut-être. Ou l'épuisement. Mon corps est vide et sec. Je n'ai plus de larmes en moi, même si mes hoquets résonnent encore parfois et me secouent. Mon visage a séché, mais l'inondation menace toujours. Je la sens gronder. Je ne veux que la réfréner. Je place toute mon énergie sur cet objectif précis.

La noirceur est tombée. Sans le lampadaire qui éclaire faiblement le banc qui m'a servi de refuge, je n'aurais jamais su, en ouvrant les yeux, que l'homme devant moi était un policier. Ni que son collègue, debout à ses côtés, tenait une photo de mon visage, imprimée en noir et blanc sur une feuille de papier. Je ne comprends pas ce que ma face fait entre ses mains.

Les deux hommes restent là. Je sais qu'ils y sont, mais je n'ai pas la force de les aborder. Je dois refermer les yeux. Et lutter de toutes mes forces pour ne pas penser. Ma lutte est vaine. Dès qu'un éclair de lucidité traverse mon esprit, les sanglots sont de retour et m'étranglent.

Je ne voulais pas vomir sur les pantalons de l'agent. En tentant de m'excuser, tout déboule à nouveau. Les larmes se déversent et je n'ai aucun contrôle sur leur débit.

Chacun de leur côté, les agents ont glissé leur tête sous mes bras. Je sens mon corps se soulever. Je sens leur corps à eux m'entourer. Je tente de poser un pied devant, ne serait-ce que pour montrer que je peux faire un pas normalement, mais mes genoux me trahissent et fléchissent.

Je sais qu'ils parlent au-dessus de ma tête, mais je n'entends pas leurs mots. Je referme donc les yeux, de peur. Ma peur est légitime. L'horreur apparaît de nouveau dans l'obscurité de mon cerveau embrumé. Je n'ai rien inventé. Cet article de journal existe. Je l'ai lu. C'est la réalité. Ma réalité. Je veux arrêter d'exister. Un moment seulement. Un très long moment, de préférence.

Même sous mes paupières mi-closes, je perçois des lueurs. Ils ont allumé les gyrophares de leur véhicule. Ce n'est que lorsque l'obscurité semble revenue que j'ai le réflexe d'ouvrir les yeux de nouveau. Je les plisse pour parvenir à défricher les lettres noires sur la brique grise de l'édifice et je note que nous sommes devant le poste de police de la ville. J'avais oublié que j'étais à Bradshaw.

J'essaie de me dégager un peu de l'étreinte des agents, mais ils me tiennent serrée contre eux, chacun de leur côté. C'est par accident que mon regard se pose sur la porte vitrée du bâtiment. Derrière cette porte, je le distingue de loin. Il est debout. Droit comme un chêne. Je ne veux pas de lui. À proximité, assis sur une chaise, je reconnais aussi le profil du journaliste Bernard Johnson.

C'est le premier homme qui ouvre la porte. Je ne veux pas de lui, mais je sais désormais que je ne peux plus le fuir. Il est droit devant moi. Droit comme un chêne. Grand comme un saule. Mon père pleure.

PREMIÈRE PARTIE

Trois mois plus tôt
Lundi 21 février, 11 h 45

« *Laura... T'es où ??? Je suis de retour à l'école !* »

Zoé avait été malade tout le week-end et ne se trouvait pas dans l'autobus ce matin. Son texto me prit donc par surprise, mais j'avoue qu'il me fit grand bien. Je me dépêchai de lui répondre.

« *Urgent besoin de te voir. Suis à la bibliothèque. M'en vais à la salle des pas perdus...* »

« *Ok. M'y rends aussi !* »

Une violente gastro-entérite s'était soudainement emparée de mon amie, samedi soir. Ce matin, elle semblait d'ailleurs encore plus frêle qu'à son habitude. C'est du moins l'impression qui me frappa quand je la vis surgir devant moi, une bouteille de liqueur blanche à la main...

– Dis donc, ça va toi ? questionnai-je d'abord.

– Très bien, ne t'inquiète pas... Tout est fini.

– Tu en es sûre ? Tu me sembles encore un peu blême...

– Je suis en super forme, Laura ! On ne peut pas en dire autant de toi, hein ? Raconte ! Je veux tout savoir.

– Ouf.

– Allez, raconte ! Paraît qu'il y a une tempête glaciale chez toi en ce moment... Ton frère m'en a déjà glissé un mot ce matin au téléphone, dit-elle.

Zoé et mon jumeau Thomas ne cessaient plus de roucouler depuis qu'ils formaient enfin un couple. Encore heureux qu'il ne se soit pas pointé avec elle ce midi...

Mon amie s'était déjà installée sur une panoplie de coussins qui s'entassaient dans un coin de la salle, et éteignait désormais son téléphone cellulaire pour s'assurer que nous ne serions pas dérangées.

– Qu'est-ce qu'il t'a dit, Thomas ? ai-je demandé, en faisant de même avec mon appareil.

– Oh, tu sais, il ne parle pas beaucoup ton jumeau chéri... Il préfère te laisser choisir ce que tu as envie de me raconter. Tout ce que je sais, c'est que le fabuleux Ian Mitchell et toi, vous ne pouvez plus vous voir présentement. C'est vrai, ça ? Tout allait bien pourtant !

– Trop bien... Mais les choses ont mal tourné, Zoé. Vraiment mal.

À mon retour de Bradshaw, le mardi précédent, j'avais cru un moment que mes parents accepteraient que je puisse avoir un premier amoureux dans ma vie, malgré ses vingt ans...

Ils m'avaient d'abord demandé d'attendre le week-end suivant pour revoir Ian, de manière à ce que je me consacre complètement à mon retour en classe au sein de mon école officielle de Belmont. J'avais donc obéi de bonne grâce, ne manquant pas ici de jouer la carte du « sacrifice-obligé-de-la-bonne-fille-raisonnable ».

Dans les faits, je savais bien que, de toute manière, Ian n'aurait eu aucun temps à m'accorder. Pour lui permettre de venir me rejoindre à Bradshaw, un autre photographe de presse de *La Nouvelle* avait accepté de le remplacer pendant quelques jours, une dette dont il devait s'acquitter dès son retour. Les mercredi, jeudi et vendredi suivants, mon amoureux avait par conséquent dû travailler seize heures par jour. C'est dire à quel point nous attendions notre samedi soir avec impatience.

Ce jour-là, il était déjà prévu que Simon, mon plus jeune frère, serait absent de la maison puisque la famille de son amie Vicky l'avait invité à passer un week-end de *snowboard* à son chalet. Zoé et Thomas avaient prévu demeurer tranquilles chez nous pour une soirée de cinéma maison et avaient été assez gentils pour nous inviter à regarder les films avec eux, ne serait-ce que pour calmer les inquiétudes de mon fichu père poule.

En fait, c'est Thomas qui avait eu cette idée. Il avait senti qu'une menace planait au-dessus de ma tête au souper du samedi. En principe, ce soir-là, mes parents devaient assister à une pièce de théâtre. Ils avaient réservé leurs billets depuis des mois, mais cette sortie ne semblait plus trop les intéresser tout à coup. Or, je savais trop bien qu'ils voulaient simplement être présents à la maison pour le soir où Ian devait enfin débarquer. Mon père, surtout.

Le sujet de Ian « Mitch » Mitchell était presque devenu tabou chez nous. J'avais beau glisser son nom dans une phrase sur deux, la seule réaction que je percevais, du côté de mes parents, était ce fichu regard qu'ils échangeaient subtilement, mon père avec son air renfrogné, ma mère avec un mélange d'appréhension et de malaise.

Il n'arrivait pas souvent que la communication soit faible à ce point chez nous. C'était résolument de mauvais augure. Thomas avait donc profité d'un moment où les parents étaient à table avec nous pour nous inviter, Ian et moi, à écouter les DVD qu'il avait loués en compagnie de Zoé.

– Tu vois ? Tu peux aller à ton spectacle tranquille… Ian et moi, nous aurons nos chaperons comme dans le temps de nos grands-parents ! avais-je lancé à mon père, sourire en coin.

C'est le regard de Thomas qui me fit réaliser que ce n'était vraiment pas le moment d'en rajouter. N'empêche que son astuce avait eu raison des dernières résistances de mes parents, qui étaient enfin partis. La pièce débutait à 20 heures et devait durer deux heures, ce à quoi on pouvait ajouter un entracte de quinze ou vingt minutes. Avec le trajet du retour, j'en avais conclu qu'ils ne reviendraient pas chez nous avant 22 h 45, peut-être même 23 heures.

– J'étais pourtant de bonne foi, Zoé… Je ne pouvais tout de même pas prévoir la suite.

– Je sais bien. Je suis vraiment désolée de t'avoir larguée comme ça…

– Mais arrête ! Tu n'y es pour rien ! Tu as vu dans quel état tu te trouvais ?

Nous étions à peine rendus au quart du premier film lorsque le premier malaise avait frappé Zoé, si bien que nous avions dû arrêter le DVD pour lui permettre de se rendre à la salle de bain. Mon amie était blanche.

Il était près de 20 h 55 quand nous avons de nouveau mis l'appareil sur pause. Cette fois, sans avertissement, Zoé s'était élancée de nouveau vers les toilettes, d'où elle ne ressortait plus… Inquiet mais prévenant, Thomas m'avait demandé d'aller aux nouvelles pour qu'elle se sente moins embarrassée.

J'avais retrouvé mon amie en sueurs, assise sur la céramique froide de la pièce, une débarbouillette sur son front, les yeux fermés. Elle était verte.

C'est Thomas qui l'avait ramenée chez elle, pour ne revenir à la maison que le lendemain matin.

– Au fait, il a couché chez toi, Thomas ?

– Il s'est endormi sur un matelas que maman l'avait aidé à installer par terre, à côté de mon lit. Laura, ton frère est une perle, souffla-t-elle.

– Je sais.

Et je dois dire que Zoé était belle à voir depuis qu'elle avait enfin conquis le cœur de mon don Juan de jumeau. Il me semblait qu'elle avait les yeux encore plus pétillants qu'auparavant, ce qui n'était pas peu dire. Sauf lorsqu'elle devenait impatiente. Or, elle le devenait rapidement quand elle me soupçonnait de lui cacher certaines choses…

– Laura, si tu ne me racontes pas la suite de ton samedi soir immédiatement, je te jure que j'appelle Ian moi-même pour qu'il m'informe !

Même lorsqu'elle s'énervait, mon amie me faisait du bien.

– Ça faisait des mois que je rêvais de lui, repris-je donc à voix basse. Zoé, ce gars-là me vire complètement à l'envers. Je te l'avais dit qu'il était dangereux !

– La suite, Laura ! La suite !

– Évidemment, lorsque vous êtes partis ce soir-là, nous n'avons pas remis le DVD en marche… Mitch a souri et m'a demandé l'heure. Il était 21 h 25. Et il a estimé que nous avions une belle heure devant nous pour être certains de ne pas nous faire surprendre…

C'est comme si Zoé et moi étions seules désormais dans la salle des pas perdus de notre école. Je ne me rendis même pas compte, à ce moment-là, que j'étais retombée dans mes pensées, comme cela m'arrivait sans arrêt depuis samedi.

– Laura ! T'as mis le film sur pause, là !

– Oui, pardon. En fait, je ne sais pas trop quoi te dire… Dès ce moment-là, je n'ai senti que des lèvres charnues. Je n'ai vu que des cheveux blonds en bataille, des yeux rieurs et brillants comme ce n'est pas possible. Mais, malgré tout, il y avait la fenêtre du salon qui me rendait nerveuse… Alors, j'ai emmené Ian en haut.

– Dans ta chambre ?

– Dans ma chambre.

– Tu ne m'avais pas dit que vous aviez fait un pacte ? Il me semblait que vous aviez convenu de ne pas coucher ensemble avant le 16 mai, pour tes 16 ans ? Tu disais que tu t'en faisais un code d'honneur !

– …

– Laura ?

– Ben oui, mais qu'est-ce que tu veux que je te dise ? La fille d'honneur a fichu le camp ce soir-là… Bye-bye ! Pschhhit !

– TU-ME-NIAI-SES ! Vous l'avez FAIT !

Zoé avait deux billes rondes à la place des yeux. Très rondes.

– Laura, explique ! C'est comment ? reprit-elle.

– Hé, tu dois bien le savoir ! Avec tout ce temps passé chez nous seule avec Thomas pendant que nous étions à Bradshaw ?

– Et pourtant non ! Je te le jure !

– Cette fois, c'est toi qui me niaises…

– Pas du tout ! Je trouvais que votre pacte était une belle idée à adopter… D'autant plus que ma fête à moi tombe le 5 mars ! rigolait-elle.

– C'est donc toi qui auras la primeur, ai-je souri à mon tour.

– Comment ça ? Tu viens de me dire que c'était chose faite !

– Je n'ai jamais dit cela… Mais, Zoé, je crois bien que ce serait vraiment arrivé samedi soir si…

Mon cœur fit encore trois tours quand je repensai à la scène.

– PARLE !

Cette fois, elle avait vraiment crié. Mais alors là, crié. Tous les élèves dans la salle des pas perdus s'étaient automatiquement retournés vers nous et il fallut attendre un petit moment avant de sentir que plus personne n'écoutait notre conversation.

– Ben là vraiment, c'est de ta faute, Zoé, plaidai-je à voix basse.

À voir ses yeux, je crois sincèrement qu'à ce moment précis, elle aurait eu envie de me frapper.

– La scène a été horrible, m'empressai-je donc d'ajouter, en prenant soin cette fois de déballer mon sac au grand complet.

Nous n'avions rien entendu. Pas un son. Pas même le bruit des pattes de ma chienne, Joy. Avec le recul, je dirais qu'il devait être près de 22 heures. J'étais complètement envoûtée par les nouvelles sensations qui naissaient en moi. Plus rien n'existait au-delà des yeux de Mitch, de son cou, de son torse. C'est même moi qui lui avais retiré son chandail. Il ne s'était pas fait prier pour me retourner la politesse et pour promener ses mains habiles sur moi... Je savais que plus rien ne pouvait nous arrêter et, cette fois, je sentais que j'étais prête à me donner entièrement. Il le savait aussi. Nos regards s'étaient parlé. Ils avaient dit oui. Ils avaient décidé, d'un commun accord, de sacrifier le pacte.

Ian continuait à me regarder fixement pendant qu'en parallèle, il glissait subtilement sa main dans une poche de ses jeans au pied du lit pour en sortir un préservatif. Il m'embrassait encore en déposant l'enveloppe sur ma table de chevet.

Ses yeux ne me quittaient plus. Nos respirations s'emportaient au même rythme. Nous étions en complète symbiose. Ou presque. Nous nous dirigions tout droit vers une symbiose totale.

– Les trois coups ont tout fracassé, dis-je en soupirant.

Je ne m'étais pas rendu compte que j'avais de nouveau subitement arrêté mon récit. Mais cette fois, Zoé a presque chuchoté, un peu comme on s'y prendrait pour ne pas réveiller une somnambule.

– Euh... trois coups ? Excuse-moi, Laura, on parle de quoi là, au juste ?... demanda-t-elle avec une timidité que je ne lui connaissais pas.

– À la porte de ma chambre. Nous avons entendu trois gros coups. Bang ! Bang ! Bang !

– Oh !

– Je ne peux pas te dire, Zoé. Ces trois coups-là, je les ai reçus en plein cœur. Toute ma vie, je vais me souvenir du son qu'ils ont fait. Je t'en parle et je les entends encore...

– Ce n'était pas déjà tes parents ?

– Oui.

– Ils sont arrivés plus tôt que prévu ?

– Ouais. Ils avaient quitté à l'entracte. Paraît que la pièce n'était pas à leur goût. Hé, mon œil !

– C'est fou... Qu'est-ce que tu as fait ?

– Rien.

– Comment ça, rien ?

– Ian et moi, nous avons juste eu le réflexe de nous recouvrir avec ma couette et nous avons paralysé. Nous ne respirions même plus.

– Oh my God !

– Ah Zoé, c'était terrible… Je ne sais pas combien de temps tout cela a duré. Derrière la porte, on entendait ma mère qui tentait de calmer mon père… C'est elle qui a levé le ton cette fois. Elle a seulement dit, nerveuse: « Laura, on peut entrer ? »

– Oh my GOD !

– Ian et moi, nous nous regardions, complètement muets. Nous n'avons même pas répondu !

– Oh MY GOD !

– Et mon père est entré.

– Ouch…

– Il ne m'a jamais regardée, mais il a fixé Mitch droit dans les yeux. C'était affreux.

– Pauvre Ian ! Qu'est-ce qu'il a fait ?

– Lui ? Il a été parfait. Parfait sur toute la ligne, Zoé ! Tu ne peux pas savoir à quel point je l'aime.

Des larmes sont apparues dans mes yeux en un éclair. Zoé a simplement pris ma main.

– Qu'est-ce qu'il a fait ?

– Même s'il était sur la défensive, il a gardé son calme. Ce gars-là a un sang-froid ! me suis-je exclamée.

– Ah c'est bête, j'avais cru comprendre qu'il avait le sang chaud…

Le pire, c'est qu'elle semblait sérieuse… Il y eut un long silence avant que nos fous rires éclatent.

– Zoé Pellerin ! Comment peux-tu faire des farces dans un moment pareil !

– Ne te laisse pas déconcentrer, Laura… me chuchota-t-elle, sourire en coin. Qu'est-ce qu'il a fait, Ian ?

– D’abord il n’a pas baissé les yeux, puis il a dit à mon père qu’il n’avait rien fait de mal. Alors, mon père lui a répondu qu’il était dans une bien mauvaise posture et à un bien mauvais endroit pour lui dire ça… Zoé, il regardait l’enveloppe sur ma table de chevet ! J’étais tellement gênée !

– Et ?

– Et tu ne me croiras pas, mais Ian lui a répondu que dans ces circonstances, il valait mieux passer au salon et il lui a demandé de refermer la porte.

– OH ! MY ! GOD ! Est-ce que ton père l’a pris au collet ?

– Il ne portait plus vraiment de collet… Et non, je crois que mon père a tellement été surpris qu’il lui a simplement dit de se grouiller, et il a effectivement refermé la porte. C’est une fois rendu dans la cuisine qu’il s’est mis à l’engueuler…

Thomas ne pouvait pas choisir un plus mauvais moment pour surgir à nos côtés à l’improviste, nous faisant faire tout un saut. Même Zoé semblait contrariée de le voir là.

– Laura ! Je me doutais bien que tu serais ici… Maman tente de te joindre depuis une demi-heure, et moi aussi, je te signale. Pourquoi avez-vous éteint vos cellulaires, vous deux ? lança-t-il.

J’avais beau trouver agréable qu’il soit devenu le chéri de ma meilleure amie, Zoé et moi avions toujours bien le droit d’avoir nos moments ! Elle lui souriait déjà. Pas moi.

– Parce que, Thomas, imagine-toi donc qu’on espérait avoir la paix, mon amie et moi. Tu permets ?

– Bien sûr, ne te fâche pas sœurette… me taquina-t-il, s'apercevant du coup que je n'entendais pas à rire.

– Maman veut que tu l'appelles à son bureau. Elle dit que c'est urgent, reprit-il donc prestement.

– Et qu'est-ce qu'elle me veut de si urgent ?

– Je ne sais pas.

– Thomas…

– Mais non, je te le jure. Elle m'a simplement dit qu'elle avait reçu une lettre pour toi. Quelque chose d'officiel, je crois. Appelle-la, tu verras bien !

– Aarrggh.

Zoé était aussi déçue que moi.

– Allez, puisqu'il le faut, me souffla-t-elle, mais je veux la suite du récit dès que tu auras raccroché !

Lundi 21 février, 12 h 50

Les relations étaient déjà très tendues à la maison depuis samedi soir et je n'avais réellement pas le goût d'avoir une longue conversation avec ma mère au téléphone. J'allai directement au but.

– Maman, qu'est-ce qu'il y a ?

– Allô Poulette. Ça va ?

– Pas plus que ce matin. Et ne m'appelle plus Poulette.

– Oui bon, écoute, Laura... Avant d'aller travailler tantôt, j'ai reçu la visite d'un huissier à la maison. Il m'a remis une lettre pour toi.

– Un huissier ? C'est quelqu'un qui vient saisir des meubles, ça ?

– Oui, mais c'est aussi un homme qui est chargé de transmettre des documents officiels. La lettre qui t'est adressée provient du ministère de la Sécurité publique, Laura. Je crois que c'est une citation à comparaître en cour...

– Hein ? Qu'est-ce que j'ai fait ?

– Rien de mal, rassure-toi. Mais tu te souviens que Bernard Johnson avait dit qu'il était fort probable que tu sois appelée à témoigner lors du procès du professeur Didier Dunlop ? Eh bien, j'ai bien peur que ce soit de cela qu'il s'agisse. Veux-tu que je l'ouvre ?[1]

– Mais oui, ouvre-la…

Elle avait raison. Bernard Johnson m'avait avisée de cette possibilité, mais je n'y avais pas vraiment cru. Je pensais pouvoir en être épargnée… J'essayais de me calmer pendant que j'entendais ma mère déchirer l'enveloppe, mais mes efforts étaient vains. Zoé et Thomas, le visage en point d'interrogation, me regardaient devenir blanche en silence.

– Eh oui. C'est cela. Tu es citée à comparaître comme témoin dans la cause de Dunlop.

– Quand ça ?

– Attends… Le mardi 3 mai, 9 heures. Au palais de justice de Bradshaw.

– Oh non, pas encore à Bradshaw !

– Bien sûr, Laura. C'est là qu'ont eu lieu les événements…

Zoé et Thomas m'écoutaient ne plus rien dire au téléphone.

– Laura, aimerais-tu que je t'envoie la lettre ? Je l'ai déjà numérisée, je peux te l'acheminer sur ton cellulaire si tu veux…

– Oui, s'il te plaît.

Au son de ma voix, même au téléphone, ma mère savait très bien que je me retrouvais une fois de plus dans mes petits souliers.

– Cela t'en fait beaucoup à vivre ces jours-ci, n'est-ce pas, ma grande ?

---

1. Voir le tome 2 : *Laura St-Pierre. Trop jeune pour mourir.*

– Trop.

Je vis apparaître rapidement l'information sur mon écran.

– Voilà, je viens de recevoir la copie. Merci.

– Laura ?

– Quoi.

– Ne t'en fais pas. Nous allons t'épauler. Tout va bien aller.

– M'épauler, oui… J'ai vu ce week-end comment vous êtes doués pour m'aider.

Mon ton était amer. Ma voix était éteinte.

– À ce propos, Poulette. La situation ne pourra pas durer très longtemps comme ça. Je sais que tu ne veux rien entendre, mais il faudra tout de même se parler.

– Je pourrais te parler à toi, peut-être, mais pas à papa. Je ne veux pas lui parler.

– Comme tu veux. Mais, toi et moi, nous sommes toujours parvenues à nous comprendre et je ne vois pas pourquoi ce serait différent aujourd'hui… J'y tiens, Laura. Promets-moi qu'un soir, cette semaine, nous aurons une vraie conversation.

– Hum, hum.

La cloche sonna. Rien n'allait plus. Zoé jeta un œil interloqué à sa montre, catastrophée de comprendre qu'elle n'aurait pas droit à la fin de mon histoire du week-end.

– Faut que je te laisse, maman. Je dois me rendre à mes cours.

– Bien sûr, vas-y. À plus tard.

Je n'eus que le temps de raccrocher et de me relever pour me diriger vers mon cours que Zoé était sur mes talons, Thomas sur les siens.

– Laura ! Et le reste de ton aventure ? Tu ne peux pas me laisser ainsi ! Et veux-tu bien me dire c'est quoi cette histoire de Bradshaw ?

Je m'arrêtai pour tenter de reprendre mes esprits un brin.

– Zoé, je dois vraiment me rendre à mon cours pour le moment… Toi aussi d'ailleurs. Tu n'as pas idée à quel point le week-end a été difficile et, ce matin, le courriel de Mitch m'a achevée.

J'étais au bord des larmes cette fois.

– Laura, ce n'est pas le temps de flancher, intervint Zoé. Ce soir, après les classes, je t'emmène chez moi et nous allons discuter de tout cela ensemble.

– Ok.

– Promis ? insista-t-elle.

– Promis… Faut vraiment que j'y aille maintenant.

Sur ce, je tournai les talons et elle fit de même vers un corridor différent du mien. J'eus juste le temps d'entendre mon frère lui demander :

– Euh… Excuse-moi, chérie, mais on ne devait pas se voir ce soir ?

Lundi 21 février, 16 h 45

Même du côté scolaire, l'après-midi avait été désastreux. En éducation physique, j'étais tombée trois fois en raquettes au cours de la sapristi de promenade que notre enseignant avait organisée pour nous permettre de profiter du soleil radieux, disait-il. Dans mon esprit, il faisait pourtant tempête.

Dans mon cours suivant, en anglais, l'enseignante avait eu de son côté l'idée géniale de nous faire écouter un *documentaire-in-English* sur... Je ne me souviens même pas du thème. C'est dire à quel point je serai dans le trouble au prochain examen qui portera précisément sur ce sujet, nous avait-elle annoncé fièrement, juste avant que l'on quitte la classe. Merde.

Enfin, entre les deux cours, j'avais tout juste eu le temps d'ouvrir la pièce jointe du courriel de maman. La missive était brève, mais avait trouvé le tour de m'assommer par son caractère officiel.

CHAMBRE CRIMINELLE
Assignation à comparaître

Dans l'affaire du grief entre :
La Reine
Poursuivante
— c-

Didier Dunlop
Accusé

À : Mme Laura St-Pierre
3979, 7e Avenue
Belmont

AU NOM DU SOUVERAIN, nous vous enjoignons, par la présente, de comparaître personnellement, devant la Chambre criminelle de la Cour du palais de justice de Bradshaw, à la salle 2316.01

DATE : 3 mai
HEURE : 9 heures
ENDROIT : palais de justice de Bradshaw,
227, rue Hunter Est
Bradshaw

pour rendre témoignage sur tout ce que vous savez dans la susdite cause actuellement devant le tribunal.

EN FOI DE QUOI, nous avons signé, à Bradshaw, ce 18 février
Par Me Rosa Rossi
Procureure de la Couronne

Après les classes, Zoé parcourait à son tour le document sur mon téléphone intelligent pendant que de mon côté, allongée sur son lit, je tentais obstinément de faire le vide.

– Je sais que tu vas me dire que tu seras encore une fois loin de Ian, mais Laura, prends-le comme une expérience… commentait-elle. Depuis que tu as l'âge de huit ans que tu me chantes à quel point tu aimes les imprévus et les aventures ! Ce n'était pas aussi pour cette raison que tu voulais devenir journaliste ? Eh bien, tu es servie, mon amie ! dit-elle en tentant un sourire encourageant.

Je rassemblai le peu d'énergie qu'il me restait pour m'asseoir et lui faire face.

– Zoé, au cas où tu ne l'aurais pas remarqué, j'ai eu ma part d'action ces derniers temps et je t'avoue que j'ai vraiment fait le plein d'aventures pour les cinq prochaines années ! Pour le moment, je rêve d'une vie plate et sans remous…

– Cette fille n'est pas Laura St-Pierre ! Que l'on m'amène la véritable Laura St-Pierre !

Zoé était debout, menton en l'air, regard droit devant elle, posé au loin sur on ne sait quoi. Mon amie était aussi douée pour les sorties théâtrales que pour alléger mon quotidien.

– Avoue qu'il serait vraiment temps que ça cesse un peu de mon côté, lui dis-je pour tenter de la calmer.

– Oui, j'avoue, répondit-elle avec un retour à la terre qui m'étonna.

– Tu es sérieuse, là ?

– Bien sûr que je suis sérieuse, Laura. Et mon petit doigt me dit que la suite de ton histoire du week-end n'est pas plus reposante. Je me trompe ?

Je ne savais pas combien de temps elle résisterait avant d'exiger la fin de mon récit désastreux.

Depuis la sortie de l'école, elle avait tenu un bon… quarante-cinq minutes ! Je n'étirai pas son supplice plus longtemps.

– Ok. Tu peux me dire où j'en étais, ce midi ? lui demandai-je.

– Ton père est redescendu et il a engueulé Ian…

Cette fois, c'est elle qui semblait avoir appuyé sur pause.

– Exactement. J'ai voulu aller les rejoindre, mais mon père m'a sommée de retourner dans ma chambre. Ian avait son manteau sur le dos et papa était en train d'enfiler le sien. Je ne savais plus quoi faire, Zoé ! Bien crois-le, crois-le pas, Mitch a trouvé le tour de me faire un clin d'œil dans le brouhaha, comme pour me dire de ne pas m'inquiéter.

– Et qu'est-ce qu'ils ont fait dehors ? Ils se sont battus ou quoi ?

– Mais non, mon père n'est pas si cave… Je sais bien qu'ils sont sortis pour que je n'entende pas leur conversation, mais Ian m'a écrit le soir même et il m'a un peu rassurée. Il m'a dit que la conversation s'était plutôt bien déroulée malgré tout, qu'ils avaient fini par parler calmement et que mon père l'avait même écouté.

– Bon !

– Mais attends… Ian m'a aussi dit qu'il avait fait la promesse solennelle à mon adorable paternel qu'il ne me toucherait plus avant mes 16 ans.

– Il lui a vraiment dit ça ?

– Non seulement il le lui a dit à lui, mais il me le jure à moi aussi.

– Oh.

– Zoé, c'était tellement humiliant cette soirée, tu n'as pas idée ! Déjà que je me sens jeune à côté de Mitch avec mes quinze ans, j'avais l'impression ce soir-là d'en avoir huit !

– Si tu avais eu huit ans, Laura, je doute fort que ton valeureux amoureux aurait pensé à apporter un préservatif... Il a beau dire qu'il est patient et qu'il voulait respecter votre pacte, il était quand même prêt à toute éventualité, tu ne trouves pas ? nota mon amie.

Je dus admettre qu'elle avait raison, ce qui ne m'empêcha pas de prendre la défense de mon amoureux.

– Mais avec le recul, avoue qu'il avait vraiment bien fait de prendre toutes les précautions...

– Hum, hum, souriait Zoé. Disons qu'il ne s'en sort pas si mal, le beau Ian... En fait, des deux côtés, je trouve que vous vous en tirez plutôt bien finalement ! me lança-t-elle, enthousiaste.

– C'est parce que tu ne connais pas la suite...

– Je sais... Ton père t'a interdit de le revoir ce week-end, Thomas me l'a dit. Et ça doit durer combien de temps cette punition, au juste ?

– Jusqu'à ma fête.

– HEIN ?

– Jusqu'au 16 mai, tu as bien entendu. Je suis catastrophée... Ma fête n'est que dans trois mois !

– Allez... Ne t'en fais pas trop... Ton père va se calmer... Ta mère va lui parler... Sois patiente...

– Justement. Aucune chance !

– Pourquoi ?

– Regarde. Ian m'a écrit ce courriel hier soir, dis-je en lui tendant de nouveau mon cellulaire.

Elle le prit avec précaution.

– Tu es certaine ? Je peux vraiment le lire ?

– Lis-le. Depuis le temps que je te dis que tu es ma plus grande confidente… Tu seras vraiment la seule à connaître toute mon histoire.

Zoé fit défiler le long courriel.

« *Bonsoir ma douce,*

J'espère que tu te portes mieux... Ton dernier message m'a crevé le cœur. Je ne veux plus que tu repenses à ce qui s'est passé. On tourne la page, mon amour. C'est un très mauvais épisode de notre histoire et j'ai bien l'intention d'en créer des plus beaux avec toi...

N'empêche que je réfléchis beaucoup depuis samedi soir. Je repense à nous. Tu étais si belle... J'étais déjà hypnotisé par le gris de tes yeux, j'ai complètement perdu la tête en glissant ma main sur tes longs cheveux bruns, en observant tes sourires, en te découvrant petit à petit... Ma Laura, j'espère que je ne t'ai pas brusquée au moins. Tu avais l'air si bien, toi aussi... Tes yeux étaient tellement brillants. Quand je repense au doux regard que tu avais, mon cœur chavire. Si tes parents n'étaient pas arrivés...

Les idées se bousculent dans ma tête. Je réfléchis beaucoup à ce que ton père m'a dit et, Laura, j'espère que tu ne te fâcheras pas si je te dis qu'il n'a pas tout à fait tort... Ce qui s'est passé samedi soir est mon erreur. À la minute où tu m'as entraîné jusqu'à ta chambre, je savais que je ne pourrais plus m'arrêter et j'y suis allé quand même. Elle est là, mon erreur. Notre pacte était clair et j'avais la conviction que je pourrais le respecter, mais j'ai véritablement surestimé mes capacités. Je dois l'admettre aujourd'hui.

Samedi soir, Laura, je t'aurais fait l'amour. J'aurais brisé notre pacte et je m'en serais vraiment voulu par la suite… Le problème avec toi, c'est que tu ne fais tellement pas ton âge ! Je n'arrive pas à m'entrer dans la tête que tu n'as que quinze ans. Et si ma tête se refuse à y croire, imagine un peu mon corps…

Je sais très bien que tu vas me dire que tu étais tout à fait consentante. Que tu es autant dans l'erreur que moi. Que tu voulais briser notre pacte tout comme moi. Et gnagnagna et gnagnagna, comme tu dis souvent… :o) C'est vrai. Mais je te rappelle que c'est moi le plus vieux entre nous… Et j'aurais dû te protéger de moi, ce que je n'ai absolument pas fait. Au contraire, j'ai usé de tous les charmes possibles pour t'entraîner inconsciemment dans mon lit. Et même pire, dans le tien…

Aujourd'hui, je réalise très bien qu'à tes côtés, je serais bien capable de recommencer. Je ne veux plus me mentir ou nous mentir. Et je suis bien résolu à ne pas mentir à ton père non plus. Je lui ai fait la promesse de ne pas te voir avant le 16 mai et, ma douce, c'est ce que j'ai l'intention de faire même si je trouve notre situation horrible. Mon problème restait à savoir comment y parvenir. Ma réponse est arrivée ce matin.

Je t'avise tout de suite que tu es obligée de lire ce courriel jusqu'au bout !

Alors voilà. Ce matin, j'ai reçu un appel du capitaine de mon équipage. Tu sais déjà que nous n'avons pas terminé nos travaux lors de notre dernière expédition et qu'il était possible que je reparte en mer dans le Grand Nord pour prendre d'autres photos... On m'offre maintenant de le faire, et j'ai accepté. J'ai eu beau revirer notre situation de tous les côtés, c'est la seule solution qui m'apparaît sensée. Je me suis déchiré le cœur pour accepter cette offre, mais avons-nous vraiment un autre choix ? Je trouve qu'il serait encore plus difficile de te savoir à proximité et de ne pas pouvoir te voir...

Le navire part vendredi et ne doit revenir que le 30 mai. Au début, j'avais donc refusé le contrat. Mais lorsqu'il a su que je devais être absolument de retour pour le 16 mai, le capitaine m'a appris que pour la toute première fois, il y aura un hélicoptère sur le bateau qui nous permettra de prendre des photos encore plus saisissantes. Mieux que cela encore, il est déjà convenu que l'hélicoptère ramènera en avance l'un des cuisiniers dont l'épouse devrait accoucher dans la semaine du 9 mai, et il m'a assuré que je pourrai me joindre à eux. Le 5 mai donc, un hélicoptère nous emportera tous les deux vers un village inuit où un avion pourra venir nous chercher, avec retour à Belmont le samedi 7 mai.

Tu me vois venir, n'est-ce pas ?

Laura, je te promets que je serai avec toi le soir du 16 mai. Rien ne me fera rater ce rendez-vous ! Rien. Je sais que ton père espère que je vais t'oublier d'ici là, mais il se met un doigt dans l'œil, mon beau-père… Je me suis engagé auprès de lui pour ne plus te revoir jusqu'à ta fête, mais après cette date, il n'y aura plus aucun pacte qui tiendra. Sauf entre toi et moi.

Dès le 16 mai, j'aimerais que l'on reprenne tout depuis le début. J'aimerais que tu rencontres ma famille. Ma sœur Caroline a vraiment hâte de te connaître. Je lui en ai raconté pas mal sur nous, finalement… Elle t'aime déjà ! J'ai tant de choses à te dire, ma belle… Je veux te découvrir encore davantage, que tu me connaisses complètement et que l'on reprenne les choses à ton rythme. À notre rythme. Et s'il y a une seule promesse que je puisse te faire, c'est qu'on ne gaffera pas cette fois.

D'ici là, je t'emporte avec moi dans ma tête, bel amour. Je ne sais absolument pas comment je pourrai m'empêcher d'être obsédé par toi en pensée, mais je t'écrirai le plus souvent possible. Nous avons réussi une fois. Nous réussirons de nouveau.

Je me suis fait violence pour t'écrire ce courriel. Je sais que tu devras aussi te faire violence pour accepter mon choix, mais crois-moi, je le fais pour nous protéger de nous. Je ferai des X sur mon calendrier chaque soir. Jusqu'au 16 mai qui sera, je l'espère, le plus merveilleux anniversaire de ta vie.

Je t'aime comme un fou !

Mitch xxxxxx »

Zoé me fixa. Pour que mon amie reste sans voix, c'est qu'il n'y avait vraiment plus rien à dire, dus-je en conclure. Mais dans les faits, elle cherchait des mots pour me réconforter, et elle les trouva.

– Bon, clama-t-elle. Ian a raison. Il est brillant, ce mec. Il n'y a pas vraiment autre chose à faire dans les circonstances. Voici donc mon plan de match, Laura...

– Ton plan de match ?

– Oui. Ce soir, tu restes avec moi pour souper et on se change les idées un peu. Demain, on attaque la réhabilitation !

– La réhabilitation ?

– Oui. Et arrête un peu de répéter tous les mots que je prononce... Je disais donc que, dès demain, tu commences à orienter toutes tes énergies sur nos cours et sur le journal de l'école. Avant de rencontrer Ian, le journalisme était ton tout premier objectif dans la vie, tu te souviens ? Il devra en être ainsi pour les prochains mois. Tu comprends ?

– Oui. D'ailleurs, j'ai pris du retard ces derniers jours et j'ai deux articles à écrire pour lundi... Je vais devoir m'y consacrer toute la journée demain.

Ma tentative de me secouer un peu fit sourire mon amie.

– Parfait, observa-t-elle. Tu vois ? Tu es déjà sur la bonne voie ! Maintenant, ta médication.

– Ma médication ?

Mon regard devait sembler inquiet cette fois.

– Ce ne sera rien de très dangereux, s'empressa-t-elle d'ajouter. Ma prescription consiste en un téléphone par jour. Chaque soir, avant de te coucher, je veux que tu m'appelles pour entendre mon mot d'encouragement quotidien.

– Zoé, tu exagères… On va se voir le jour à l'école, c'est inutile d'en rajouter. Je risquerais réellement de te déprimer avec tous mes fichus états d'âme…

– Impossible. Et j'insiste sur la médication !

– Bon. Mais je ne pourrai probablement pas te téléphoner quand je serai à Bradshaw… Ouf… Je trouvais déjà difficile le départ de Mitch, cette histoire de procès m'a vraiment assommée.

– Je sais. C'est pourquoi nous allons avoir une autre stratégie pour ce cas précis.

– Sans vouloir sous-estimer ton pouvoir, Zoé, en ce qui concerne Bradshaw, tu n'y peux vraiment rien…

– N'en sois pas si sûre… Mon plan n'est pas encore tout à fait au point, mais je vais trouver une façon de t'accompagner là-bas.

– Hein ?

– Qu'est-ce que tu en dis ? Aimerais-tu que j'y sois ?

– Si j'aimerais ? J'en serais folle de joie ! Mais l'école ne sera pas encore terminée. Ce sera impossible de te libérer.

– Laisse-moi faire…

– Et Thomas ?

– Laisse-moi faire aussi… Tout ce que je veux, c'est que de ton côté, tu te concentres sur Laura-St-Pierre-la-journaliste jusqu'à ton départ pour Bradshaw. Et à ton retour à Belmont, tout sera enfin fini ! Le beau Ian sera sur le point de revenir. Avec une seule semaine à attendre encore, tu devrais déjà être revigorée ! T'inquiète pas, Laura, tu ne verras pas le temps passer. Bradshaw, c'est une bonne chose, finalement. Ça va te permettre de t'occuper le cerveau ! Tout va bien, chère amie. Tout va bien…

Les yeux fixés au sol, Zoé était ultra sérieuse, concentrée sur ses propos, et semblait chercher à se convaincre autant qu'elle cherchait à me convaincre. Je crois que c'est le fait de la voir dans cet état, tout à fait dédiée à me trouver des solutions, qui me bouleversa. À moins que ce ne soit l'accumulation d'émotions. Toujours est-il que j'avais les yeux dans l'eau quand elle releva son regard vers moi.

– Hé, tu n'aimes pas mon plan de match ?

– Mais oui, Zoé, c'est juste que… que…

Secouée par des hoquets, je ne parvenais même plus à m'exprimer.

– Ne pleure pas, Laura. Dis-moi ce que tu veux changer dans mes plans, on va tout organiser !

Elle aggravait les choses. Je tentais de lui sourire, mais je pleurais de plus belle.

– Mais non, arrête. C'est ta… ta gentillesse, c'est ton amitié qui… qui me bouleverse, tentai-je de reprendre.

– Mon amitié ? Laura St-Pierre, tu ferais exactement la même chose si les rôles étaient inversés. Et tous ces bouleversements ! Va vraiment falloir faire du ménage dans tes émotions, très chère, roucoula-t-elle. Tu n'es pas enceinte, toujours ?

Et encore une fois, Zoé était parvenue à me faire rire, même en pleine averse. Mon amie était un soleil. Et mon cœur, un banc de brouillard.

DEUXIÈME PARTIE

Mardi 3 mai, 10 h 45

– La Couronne appelle Laura St-Pierre à la barre des témoins.

Le juge avait pris du retard et nous patientions depuis déjà plus de 90 minutes lorsque la voix de la procureure de la Couronne, maître Rosa Rossi, avait résonné haut et fort dans la salle d'audience. Du coup, cet appel avait créé son lot de nervosité chez moi, mais aussi du côté de mes parents, assis à ma droite sur la grande banquette en bois vernis.

À ma gauche, Zoé n'avait toutefois pas bronché, bien trop affairée à jeter des regards noirs à l'endroit de Didier Dunlop qui occupait le banc des accusés, au cas où « l'homme-à-abattre », c'est ainsi qu'elle l'avait baptisé, croiserait ses yeux. Il en allait tout autrement de moi, qui essayais tant bien que mal d'oublier le regard de l'accusé, que je sentais souvent fixé sur moi.

Dans le silence de cette pièce austère, mes talons résonnaient trop fort à mon goût alors que j'avançais vers le cubicule que me désignait Me Rossi.

Le professionnalisme et la gentillesse de cette dame m'avaient impressionnée, la veille, lorsqu'elle avait répété avec moi le scénario qui se déroulerait ce matin. Elle avait pris la peine de m'indiquer comment me vêtir et de me montrer tout ce que j'aurais à faire à titre de témoin-vedette, disait-elle. Ce n'est qu'en constatant l'intérêt des journalistes à mon endroit, lors de mon arrivée, que j'avais réalisé la portée de ses paroles.

Et tout comme elle me l'avait indiqué, on me demanda de m'identifier.

– Dites votre nom, demanda la greffière.

– Laura St-Pierre.

– Votre âge.

– Quinze ans et demi, bientôt seize.

La précision était ridicule. Tout le monde dans cette salle se fichait bien de savoir que j'aurais bientôt seize ans. Je me suis sentie rougir pendant que la procureure de la Couronne demandait que l'on garde mon adresse confidentielle, dans les circonstances.

On me somma dès lors de poser ma main droite sur la Bible placée devant moi.

– Jurez-vous de dire la vérité, toute la vérité et rien que la vérité ? reprit la greffière. Dites : « Je le jure ».

– Je le jure, articulai-je d'une voix qui, je m'en rendis compte moi-même, était à peine audible.

– On vous demanderait de parler plus fort, Mademoiselle St-Pierre, précisa le juge Robert Leclerc.

– Je le jure, répétai-je plus clairement à son intention.

Avais-je parlé trop fort, cette fois ? Je ne savais plus… Tout partait de travers !

– Alors dites-nous, Mademoiselle St-Pierre, débuta Me Rossi avec un sourire bienveillant qui me fit grand bien, est-il vrai que vous n'êtes devenue une élève du Collège Fisher de Bradshaw qu'en janvier dernier ?

– C'est exact.

– Où aviez-vous étudié auparavant ?

– À l'école secondaire de Belmont.

– Mademoiselle St-Pierre, dites-nous maintenant pourquoi vous avez changé d'école à cette période de l'année.

– Le journal *Le Métropolitain* avait retenu mes services pour que je m'infiltre dans une troupe de théâtre de cette école.

– Pour quelle raison ?

– Le journaliste Bernard Johnson, du *Métropolitain*, enquêtait sur ce groupe. Il avait des doutes sur ce qui se passait à l'intérieur de la troupe et il avait besoin de quelqu'un de mon âge pour aller vérifier sur le terrain.

Sur le terrain ! Voilà maintenant que j'utilisais des termes de journaliste ! Je me sentais déjà maladroite…

Je tentai de ne pas perdre ma concentration pendant que Me Rossi poursuivait. La dame m'avait indiqué que ma tâche serait très simple, en fait. Tout ce qu'elle me demandait, c'était de répondre franchement aux questions.

– Expliquez-nous en quoi consistait votre mission.

– Je devais me faire accepter dans ce groupe et surveiller ce qui s'y passait.

– Vous aviez quelqu'un à observer en particulier?

– Oui. Le professeur.

– Son nom?

– Didier Dunlop.

– Est-il présent dans la salle?

– Oui.

– Vous pouvez nous le désigner, s'il vous plaît?

Pour la première fois, je posai véritablement mon regard sur lui et c'est en tremblant légèrement que je le pointai du doigt. L'homme me fixait, mais demeurait impassible. Le seul fait de le revoir me faisait toutefois revivre les fameux événements et sa simple présence me donnait froid dans le dos.

– Et avez-vous noté quelque chose d'anormal au sein de ce groupe?

– Oui.

– Décrivez-nous ce que vous avez observé.

Je pris une bonne inspiration et racontai les faits devant l'assemblée, au mieux de ma connaissance.

– Au départ, j'ai remarqué que les filles de la troupe avaient une grande admiration pour monsieur Dunlop, mais rien de mal. On dirait qu'elles recherchaient toutes son attention et son approbation. Ce n'est que par la suite que je me suis rendu compte qu'elles lui étaient vraiment très dévouées.

– Que voulez-vous dire par « très dévouées » ?

– Elles faisaient vraiment tout ce qu'il leur demandait et acceptaient naturellement qu'il les touche. Il était très familier avec elles.

– L'a-t-il été avec vous ?

– Oui.

– De quelle manière ?

– À la première occasion, quand nous étions proches, il pouvait mettre sa main sur mon bras, mon épaule, mes cheveux ou mes cuisses. Quand il me parlait, il me fixait constamment. Comme il le fait présentement, soulignai-je en le regardant.

Pour la première fois, il baissa enfin les yeux.

– Est-ce que les gestes de monsieur Dunlop vous rendaient mal à l'aise ? questionna Me Rossi.

– Un peu. Disons que je ne suis pas habituée à ce type de familiarité avec des professeurs. Mais jusque-là, je mettais tout cela sur le compte de la proximité qui pouvait exister dans une troupe de théâtre... Je ne connaissais pas leurs coutumes. Les autres filles semblaient trouver ces gestes tout à fait normaux. C'était la même chose pour les questions qu'il nous posait.

– Quel genre de questions ?

– J'ai remarqué qu'il portait une attention bien particulière à ce que nous vivions à l'extérieur des classes, dans nos familles. Il voulait toujours que l'on se confie à lui.

– Très bien. Et avez-vous noté autre chose ?

– Il nous demandait aussi de faire très attention à notre alimentation et à notre silhouette. Il disait que notre corps était le véhicule de nos émotions et que nous devions en prendre grand soin. Je n'aimais pas ses regards.

La procureure marqua une pause. J'entendis ma mère tousser discrètement. Me Rossi reprit.

– Est-il arrivé un moment où ses regards, ses gestes ou ses questions ont contribué à accroître encore davantage votre malaise ?

– Oui.

– Expliquez-nous.

– Il nous demandait parfois de porter un costume officiel. C'était un genre de soutane blanche très transparente. Quand il m'a demandé de l'enfiler la première fois, nous étions dans son bureau.

– Vous étiez seuls tous les deux ?

– Oui. Quand il nous rencontrait dans son bureau, nous étions toujours seuls et sa porte était toujours fermée.

– Très bien. Poursuivez.

– Quand il m'a demandé d'enfiler le costume, j'ai naturellement gardé mes vêtements dessous. Mais par la suite, une autre fille que j'aimais bien dans le groupe, Candide, m'a confié qu'elle avait dû pour sa part essayer la soutane sans vêtements… J'ai compris après coup pourquoi il avait choisi ce costume.

– Nous y reviendrons plus tard, intervint Me Rossi.

C'est ce moment que le juge choisit pour suggérer une pause pour le dîner. Il s'excusa pour le retard du matin, précisa qu'on reprendrait l'audience à 14 heures pile et me donna ses recommandations à savoir que je ne devais parler de la cause avec personne pendant la pause.

– Très bien, Mademoiselle St-Pierre, ce sera tout pour le moment, conclut la procureure, toujours avec ce sourire rassurant et cette élégance raffinée.

Ouf. Tout s'était déroulé exactement comme elle me l'avait dit. Ce qui était différent, toutefois, c'était l'attention que suscitait visiblement ce procès. Dans la salle, je ne m'attendais pas à retrouver autant de curieux venus remplir les bancs. Je ne savais pas non plus que les journalistes seraient présents et qu'on leur réservait des places attitrées. J'avais même remarqué la présence d'une collègue de Bernard Johnson pour le compte du *Métropolitain* et j'avais noté son nom : Édith Major…

C'est fou ce que j'aurais donné pour changer de place avec eux. La cause qui m'impliquait avait beau être pénible pour moi, qui avais vécu les événements de près, j'étais tout à fait consciente qu'elle devait être intéressante à suivre sur un plan médiatique.

Ce n'est pas tous les jours que l'on se retrouve face à un professeur de théâtre tordu à ce point. Encore moins dans une école aussi réputée que le Collège Fisher, qui regroupait les fils et les filles de tous les gens fortunés de la métropole de Bradshaw.

Cette cause avait fait la manchette des journaux à répétition. Je me surpris à imaginer l'article que j'aurais moi-même écrit sur le sujet…

Mardi 3 mai, 12 h 15

Me Rossi avait convenu de nous retrouver à 13 h 45 à son bureau pour mon retour à la barre des témoins dès 14 heures. Mes parents, Zoé et moi avons donc partagé le repas entre nous, dans un restaurant italien sympathique qui ne se trouvait qu'à un coin de rue du palais de justice.

– Tu fais cela comme une pro, ma grande, nota mon père, le nez dans son menu.

Autour de lui, nous jacassions à qui mieux mieux de sujets dont il n'avait visiblement rien à cirer : la boutique de l'autre coin de rue, la coiffure de la serveuse, la chanson qui jouait présentement dans le resto, et gnagnagna, et gnagnagna. Des thèmes très pratiques pour se changer les idées et oublier un peu les événements reliés à la cause du malheureux Dunlop.

À fréquence régulière, mon père lançait, comme ça, un bon mot par-ci par-là pour essayer d'atténuer la froideur qui était apparue entre nous depuis l'épisode Ian Mitchell. Je savais qu'il faisait des efforts et j'essayais d'en faire aussi, mais j'étais incapable de reprendre ma relation normale avec lui. Pas après l'humiliation qu'il m'avait infligée et le peu de compréhension qu'il avait manifestée face à mon histoire d'amour.

Ceci dit, plus le retour de Ian approchait, plus je parvenais à lui pardonner, partiellement… Mon humeur reprenait peu à peu le dessus sur les jours gris des derniers mois, une période qui m'avait définitivement démontré à quel point il pouvait être difficile de s'ennuyer autant.

Les courriels amoureux et follement enflammés que Mitch et moi échangions au quotidien avaient cependant contribué à me remonter le moral. Mais dans la vie concrète, c'est encore le plan de match de Zoé et sa fameuse médication qui m'avaient permis de vivre des jours plus doux, voire relativement joyeux. Il faut dire que j'avais suivi ses conseils à la lettre.

Au journal de l'école, j'avais redoublé d'ardeur. J'écrivais mes articles les uns après les autres avec une fougue que le directeur du journal, Richard Dunn, avait drôlement appréciée. J'avais notamment interviewé une artiste en arts visuels qui avait présenté, à l'âge de quatorze ans seulement, une première exposition dans une galerie très réputée de Belmont. Elle était à la fois étonnante et fabuleuse. Mon article avait même été repris dans le journal hebdomadaire de notre ville, *Le Courrier Belmont*. Il avait d'ailleurs été publié au-delà de la section étudiante que l'on nous réservait chaque samedi et qui permettait à tous les citoyens de notre petite ville de lire nos écrits.

Les patrons du journal avaient aussi retenu un autre de mes articles pour leur édition régulière. Celui-là portait sur la Fondation Rêves d'enfants. Dans le cadre de son programme, le groupe avait permis à un garçon de cinq ans, un résident de Belmont, de rencontrer un joueur de hockey-vedette de la ligue nationale, son idole. Ce petit Félix, souffrant d'une maladie incurable qui écourterait tragiquement sa vie, était parvenu à m'arracher des larmes. Et celles du hockeyeur aussi. Bref, mon cœur était saignant quand j'avais rédigé mon papier.

Cet article, j'en avais entendu parler partout, et bien au-delà de mon école. En réalité, je crois que c'est le courage de ce petit homme et de ses parents qui m'avait complètement ramenée à la vie. Devant une telle fureur de vivre, on ne pouvait résolument plus se plaindre de tracas amoureux.

Mais le meilleur restait à venir puisque c'est ce même article qui me valut une invitation de la direction du journal à œuvrer au sein du *Courrier Belmont* à titre de stagiaire officielle l'été prochain, plus précisément du 4 juillet à la fin août. À seize ans, je serais la plus jeune stagiaire de leur histoire ! Et j'aurais presque deux mois pour faire valoir mes capacités dans une véritable salle de rédaction cette fois. Jimmy Savard en avait été vert de jalousie quand j'avais annoncé la nouvelle à mes collègues de la salle de rédaction de l'école.

Tous ces éléments ainsi rassemblés, j'avais l'impression que ma période trouble s'achevait bel et bien, me laissant présager une seizième année tout bonnement fabuleuse, comme journaliste et comme amoureuse-attitrée-de-Ian-Mitch-Mitchell, envers et contre tous !

Zoé avait observé avec un plaisir non dissimulé mon retour à la vie. Elle n'en avait pas moins tenu à honorer sa promesse de m'accompagner à Bradshaw, laissant derrière elle un Thomas résigné à servir de gardien pour notre petit frère Simon.

Et, évidemment, elle avait réussi à s'entendre avec la direction de l'école et à se libérer pour être présente à mes côtés pendant les quatre journées que durerait notre périple dans la grande ville. Elle ne m'a jamais dit comment elle était parvenue à obtenir ces congés, mais j'avais une bonne idée de son pouvoir de persuasion. On ne résiste pas longtemps à ce rayon de soleil…

À la table du restaurant, ce midi, elle faisait encore rire non seulement ma mère, mais aussi mon père. La « tornade brune », comme il l'appelait, produisait son effet sur le moral des troupes.

La veille, nous étions arrivés sur l'heure du midi afin que je puisse rencontrer Me Rossi en après-midi, après quoi nous avions passé la soirée à l'hôtel, mes parents dans leur chambre, Zoé et moi dans la nôtre. Le fait de me retrouver seule avec mon amie m'avait d'ailleurs fait beaucoup de bien. Avec mon père poule, j'en étais venue à craindre qu'il ne loue qu'une chambre avec deux lits doubles pour nous quatre !

Me Rossi avait estimé que la cause nous retiendrait trois journées au palais de justice. Le mardi pour mon interrogatoire, le mercredi pour le contre-interrogatoire et le jeudi par mesure de précaution, au cas où le juge aurait besoin de me faire revenir à la barre. Si bien qu'en fin de journée jeudi, nous pourrions retourner chez nous.

Et j'arriverais enfin au bout de mon supplice ! Rendue à cette date, il ne me resterait plus qu'une semaine à attendre mon anniversaire et le retour de Mitch. Onze jours plus exactement. 264 heures. 15 840 minutes.

Mardi 3 mai, 14 heures

Au moment où la greffière annonça l'arrivée de l'honorable juge Leclerc, tout le monde se leva dans l'assemblée. Je commençais à me familiariser un peu avec les coutumes des lieux et je dois avouer que le travail de Me Rossi m'interpellait tout à fait. Mettre en accusation des criminels de la trempe de Didier Dunlop avait quelque chose de valeureux, je trouvais. Si je n'avais pas désiré si fort devenir journaliste, je crois que ce métier m'aurait sérieusement attirée.

Rosa Rossi était impeccable dans sa longue toge noire. Elle posait des questions précises et faisait en sorte que j'éclaire complètement le juge en relatant les agissements et les méthodes d'enseignement de Didier Dunlop.

Elle me demandait de détailler le déroulement des auditions qui m'avaient permis d'intégrer le groupe. Elle me questionnait sur les curieux exercices de respiration que nous devions faire, sur les ateliers « d'expression corporelle », sur les secrets que Dunlop entretenait avec l'une ou avec l'autre, sur sa propension à stimuler les émotions troubles chez les filles ainsi que sur ses astuces pour nous déstabiliser et pour se glorifier sans cesse aux yeux de chacune. Tout, quoi.

Plus l'heure avançait, plus j'oubliais la salle de cour, l'accusé, les journalistes, l'avocat de Dunlop, et plus je prenais de l'assurance. Ce n'est qu'en fin de journée que certaines émotions revinrent un peu à la surface. On me demandait alors d'aborder les événements du stage de théâtre effectué lors de notre fameux week-end passé dans un chalet isolé.

Me Rossi avait mis l'emphase sur les questions concernant les tisanes qui nous avaient été imposées lors de ce séjour. Elle avait présenté au juge l'expertise identifiant les drogues contenues dans ces liquides, dont l'ecstasy qui avait contribué à chasser toute forme d'inhibition chez les élèves. Tout comme elle m'avait fait souligner le peu de nourriture qui nous était servi sur place.

Enfin, elle m'avait demandé de reprendre en détail les événements entourant la cérémonie du samedi soir. Elle voulait que je raconte ce qui avait déclenché mon appel à l'aide par le truchement du bouton panique qui m'avait été fourni par Bernard Johnson et par les dirigeants de son journal, *Le Métropolitain*.

– Prenez votre temps, Mademoiselle St-Pierre, soulignait la procureure quand elle devinait que j'étais un peu ébranlée. À votre connaissance, vous étiez donc la seule à ne pas avoir ingurgité la boisson qui vous était servie ?

– À ma connaissance, oui. Et quand je regardais autour de moi, cela me semblait une évidence. Plus la soirée avançait et plus l'atmosphère changeait dans la salle. Les filles étaient de plus en plus exaltées. Je ne reconnaissais même plus mon amie Candide.

– Que voulez-vous dire ?

– Candide brillait sur une scène, mais en dehors des planches, elle était extrêmement introvertie alors que, ce soir-là, elle riait fort, parlait fort… Elle affichait un air perdu et était extrêmement chaleureuse avec tout le monde.

– C'était à quel moment de la soirée ?

– À la cérémonie, vers 21 heures peut-être.

– Comment était l'ambiance alors ?

– La musique était douce au départ, mais elle est devenue étourdissante. La chaleur était également accablante dans cette salle.

– Très bien. Où se trouvait Didier Dunlop à ce moment ?

– Il était à l'avant, sur la scène où était dressé un truc qui ressemblait à un autel avec une grande croix au-dessus. Il s'adressait aux filles avec un micro.

– Est-ce à ce moment-là que vous avez activé la caméra vidéo qui était dissimulée dans votre stylo bille ? intervint Me Rossi.

Elle déposa alors un DVD devant le juge avant de reprendre.

– J'aimerais qu'on le visionne si vous le voulez bien, dit-elle à l'intention du magistrat.

Le DVD était une surprise totale pour moi, mais mes réflexions furent interrompues par une nouvelle voix qui s'éleva dans la salle d'audience.

– Objection, votre honneur !

Deuxième surprise. C'était la première fois que j'entendais parler l'avocat de Didier Dunlop,

Me Marc Dorval. Sa voix rauque n'allait pas du tout avec sa physionomie frêle et encore moins avec ses cheveux lissés, d'un roux éclatant.

Les gens ont commencé à parler entre eux dans la salle pendant que je tentais de reprendre mes esprits et que les deux procureurs s'obstinaient dans un jargon que je ne saisissais plus. Le juge finit par rejeter l'objection. C'est tout ce que j'en compris.

Par contre, je vis l'éclair de satisfaction dans l'œil brun foncé de Me Rossi quand elle reprit, avec un calme impeccable.

– Je répète donc. Mademoiselle St-Pierre, est-ce à ce moment-là que vous avez activé la caméra vidéo qui était dissimulée dans votre stylo bille ?

– Euh, je crois que oui... Dans l'énervement de cette soirée, je dois avouer que je ne me rappelle pas du moment exact où je l'ai activée...

Un employé s'avança alors avec un long tube muni d'un trépied et déroula une toile formant un écran géant à l'avant, près du juge. À proximité de la porte, une dame du personnel s'appliqua de son côté à tamiser les lumières, nous laissant dans une ambiance qui ne faisait qu'accroître la nervosité que je sentais monter en flèche à l'intérieur de moi.

Mes yeux devinrent ronds en fixant l'écran soudainement animé.

J'avais totalement oublié l'existence de cet enregistrement, que je n'avais jamais vu d'ailleurs. Mon mentor, Bernard Johnson, l'avait vraisemblablement conservé depuis tout ce temps et avait certainement voulu m'épargner la chose.

C'est encore avec stupéfaction que je m'aperçus à quel point la technologie avait fonctionné à merveille. Je fus ravie de constater que même dans mon énervement, j'avais très bien réussi à diriger la caméra-stylo pour filmer un bon bout de la salle et, plus loin, la scène. On y voyait nettement la croix qui avait été érigée au-dessus de l'autel.

J'essayai tant bien que mal de retenir mon trouble grandissant à mesure que défilaient les images des événements qui s'étaient bousculés. On y voyait effectivement la séance de méditation… On pouvait clairement observer à quel point Candide était dans un état second en avançant vers la tribune dans sa soutane transparente, pour ce que Dunlop appelait pompeusement son « initiation ». On voyait d'ailleurs très bien l'homme l'accueillir, tout comme on remarquait que ses deux élèves assistantes, Ingrid et Joëlle, avaient pris soin de fermer les grands rideaux de velours bleu.

Quelques minutes plus tard, on me voyait m'élancer comme une furie vers la scène… Dans mon souvenir, j'avais réagi plus rapidement, mais honnêtement, je n'avais aucune idée de l'air que j'avais. Mon visage était crispé par la peur. Je ne m'étais encore jamais vue sous ce profil.

On pouvait observer également comment je me débattais avec les fichus rideaux bleus pour me glisser derrière et, quelques instants plus tard, on voyait les panneaux s'ouvrir sur une scène sordide. Je fermai les yeux un moment, ne serait-ce que par respect pour Candide que l'on apercevait de loin, mais dans toute sa nudité, étendue sur l'autel sous le regard pervers de Dunlop qui tenait un genre de bâton à la main. Les images avaient d'ailleurs créé tout un malaise dans la salle.

Et on me voyait encore, me battre avec Dunlop qui tentait en vain de me maîtriser, jusqu'à ce que je m'échappe, que je coure et que je sorte du champ de la caméra.

Je n'avais pas vu la suite des événements qui s'étaient déroulés après la bousculade. On remarquait ici toutes ces filles qui se demandaient avec effroi ce qui se passait pendant que Dunlop, l'air soudain paniqué, quittait les lieux lui aussi au pas de course pour fuir... et sans doute aussi pour chercher à me rattraper. Cette fois, cela me semblait évident. La vidéo s'arrêta net.

J'avais la rage au cœur en relevant les yeux vers le banc des accusés. Dunlop demeurait stoïque, mais les deux agents qui l'entouraient semblaient désormais sur un pied d'alerte et regardaient attentivement l'ensemble de la salle pour s'assurer que tout le monde gardait son calme. Ce qui était le cas, observai-je. Sauf peut-être en ce qui concernait mon père, qui semblait désormais vouloir appliquer sa propre justice à l'égard de ce professeur...

Zoé était blanche et me regardait les observer. Ma mère épongeait les larmes qui coulaient sur ses joues. Je ne m'étais pas rendu compte jusqu'à ce moment-là que, dans le résumé que j'avais fait à ma famille, je leur avais épargné beaucoup de « détails » pour ne pas les bouleverser. Or, la vérité était étalée ici crûment. Et si cette vidéo était parvenue à me virer à l'envers, je pouvais aisément imaginer leur réaction.

Le silence était complet dans la salle d'audience depuis un bon moment. C'est Me Rossi qui le brisa.

– Et comment Didier Dunlop appelait-il cette soirée, Mademoiselle St-Pierre ?

– La cérémonie de tous les possibles, dis-je, avec une voix trop basse à mon goût, mais le juge ne me fit pas répéter.

On entendit un autre murmure dans la salle.

– Très bien. J'en ai fini avec le témoin. Merci, Laura.

C'était la première fois qu'à la cour, Me Rossi m'interpellait par mon prénom. Elle l'avait probablement fait exprès pour m'apaiser. En plus de sa force de caractère et de son aplomb, ma procureure possédait cette délicatesse qui faisait la marque des personnes admirables. Décidément, j'aimais beaucoup cette femme.

C'est encore elle qui, à notre sortie, indiqua une fois de plus aux journalistes qui nous encerclaient que je ne répondrais à aucune question avant la fin du procès. C'est ce qu'elle avait fait depuis mon arrivée au palais de justice de Bradshaw, mais d'une fois à l'autre, les médias essayaient tout de même de me soutirer des commentaires. Les cameramen en profitaient d'ailleurs pour prendre des images.

De biais, je pouvais voir le sourire de Zoé qui trouvait la situation plutôt cocasse. Elle tentait cependant de fuir les caméras elle aussi, alors que mes parents, eux, paraissaient exaspérés de constater l'insistance de mes « futurs collègues ». Chacun de leur côté, mon père et ma mère déclinaient hâtivement les demandes d'entrevues qui convergeaient automatiquement vers eux.

Pour ma part, si j'étais soulagée de ne pas avoir à répondre aux questions des journalistes, j'avoue qu'il m'était néanmoins difficile de les laisser ainsi en plan. D'autant plus que la journaliste du *Métropolitain*, Édith Major, était venue se présenter personnellement, en précisant qu'elle avait suivi les événements du chalet avec grand intérêt cet hiver et que son collègue Bernard Johnson lui avait beaucoup parlé de moi.

L'autre journaliste que je surveillais particulièrement était Carl Abbott, un employé de notre quotidien régional de Belmont, *La Nouvelle*. Ian m'avait d'ailleurs précisé que je ne devais pas faire confiance à ce gars, qui avait un sérieux penchant pour le sensationnalisme.

Mardi 3 mai, 20 h 35

Une fois revenus à l'hôtel, je crois que nous avions mangé nos émotions au souper, sans nous douter qu'une autre petite secousse allait perturber notre soirée.

Présumant que le contre-interrogatoire du lendemain ne serait pas une partie de plaisir, nous avions réintégré nos chambres avec l'intention de ne pas veiller trop tard. Zoé avait déjà pris son bain et je sortais de la douche lorsque je la surpris, un peu interdite, assise sur son lit, son ordinateur portable sur ses genoux.

– Ça va, Zoé?

– Oui, oui.

Je connaissais assez bien mon amie pour savoir que son air était anormal. Et je me doutais bien qu'elle clavardait avec Thomas. C'était son heure...

– Thomas va bien? repris-je.

– Oui, oui.

Je flairais pourtant très bien le mensonge.

– Zoé, tu serais gentille de me dire ce qu'il y a...

Elle releva enfin la tête de son écran.

– Tu te souviens du journaliste de *La Nouvelle* qui était au palais de justice aujourd'hui?

– Abbott? Bien sûr, il était le plus insistant du groupe. Comment veux-tu que je l'oublie?

– C’est justement ce que je me disais… souffla-t-elle, hésitante.

– Où veux-tu en venir, au juste ?

– Il vient de sortir une nouvelle exclusive sur le site Web du journal.

– Quel genre de nouvelle ?

– Eh bien… Il écrit que Didier Dunlop a été admis à l’hôpital ce soir…

– Hein ?

– Il est écrit ici qu’il aurait eu un malaise cardiaque.

Plus encore que la surprise, c’est une certaine inquiétude qui m’étreignit. Pas pour l’accusé, mais pour le déroulement du procès.

– Je ne savais pas si je devais te le dire, Laura…

– …

– Laura ?

– C’est Thomas qui t’a raconté ça ?

– Oui. Il vient de m’acheminer le lien… Regarde, dit-elle en tournant son écran vers moi.

La Nouvelle avait publié un court texte de deux paragraphes seulement. On y apprenait que l’homme, gardé détenu pour la durée du procès, avait été retrouvé inerte dans sa cellule vers 18 h 30. Les gardiens lui avaient administré les premiers soins et l’avaient escorté en début de soirée au centre hospitalier de Bradshaw. À première vue, il aurait été victime d’un malaise cardiaque, indiquait-on. Il se trouvait désormais dans un état stable.

On poursuivait en faisant un rappel de la cause qui le concernait et qui faisait grand bruit dans la métropole de Bradshaw, d'autant plus que de « nouvelles présumées victimes » étaient vraisemblablement sur le point de porter de nouvelles accusations. On en profitait pour signaler mon implication dans les événements qui l'avaient incriminé. On y faisait aussi mention de ma présence au palais de justice de Bradshaw à titre de témoin. C'est une photographie de moi, dans le corridor du palais, qui me fit un peu grincer des dents. Mais pas autant que Zoé, que l'on voyait en arrière-plan sur la même image, de profil.

– C'est bien ma chance, grommela mon amie à mes côtés.

– Qu'est-ce qu'il y a ?

– J'ai dit à la direction de l'école que je devais me rendre au chevet de ma marraine chez elle, à trois heures d'avion de Belmont, puisqu'on ne lui donnait que six mois à vivre…

– À trois heures d'avion ? Tu n'y es pas allée à peu près ! Et ils ont cru ton histoire ?

– Ma mère a été assez gentille pour leur écrire une lettre justifiant mon absence, sans en expliquer vraiment les raisons…

– Oh.

– Je ne pouvais pas savoir qu'il y aurait autant de médias à ce fichu procès ! Toute la journée, j'ai fui les caméras… Et il fallait que l'« homme-à-abattre » se ramasse à l'hôpital ! S'il se réveille, je vais l'achever moi, ton Dunlop !

En entendant frapper à notre porte, je devinai que Thomas avait aussi acheminé le message à mes parents. Ils m'informèrent que Bernard Johnson avait téléphoné et qu'il était en route pour venir à notre rencontre. Il serait au restaurant de l'hôtel dans une quinzaine de minutes, tout juste le temps de nous préparer et de descendre à sa rencontre. Si Johnson se déplaçait, c'était mauvais signe.

Le réputé journaliste du *Métropolitain* avait souhaité nous accueillir chez lui pour notre séjour à Bradshaw, puisque ma famille connaissait déjà la sienne. Mes parents avaient néanmoins insisté pour loger à l'hôtel, considérant que les Johnson en avaient déjà beaucoup fait en nous hébergeant la fois précédente. Nous avions toutefois accepté avec plaisir leur cordiale invitation à souper à leur domicile pour le mercredi soir, après le contre-interrogatoire. Je me réjouissais déjà de retrouver sa femme Joyce et sa fille Holly. Je ne pensais toutefois pas le voir dès ce soir…

– Il vous a dit pourquoi il veut nous voir? demandai-je à mes parents en sortant de l'ascenseur qui nous menait au restaurant.

– Non, indiqua mon père, mais il était déjà au courant de la nouvelle. Il était dans la salle de rédaction quand la dépêche est sortie sur le fil de presse.

– Il ne veut pas m'interviewer là-dessus, toujours?

– Je ne crois pas, mais tu peux le lui demander, il est juste là, nota mon père en désignant une banquette en retrait.

Le restaurant était vaste, mais Bernard Johnson nous repéra rapidement. Au premier regard, il devina mes inquiétudes, mais prit le temps de saluer tout le monde avec la distinction que je lui connaissais.

– Ne sois pas tendue, Laura, je ne suis pas ici à titre de journaliste, me glissa-t-il, sourire en coin. Je suis sur un tout autre dossier présentement… Et même si j'avais voulu travailler sur le tien, je te ferai remarquer que je serais en conflit d'intérêts maintenant, puisque l'on est devenus des alliés et des amis.

J'en fus soulagée, mais le répit fut de courte durée.

– Je tenais toutefois à vous aviser que le procès sera certainement retardé un peu. On devra s'assurer de l'état de santé de Dunlop avant de le renvoyer dans le box des accusés.

– Le procès ne reprendra donc pas demain matin ?

Ma voix avait résonné de manière plus aiguë qu'à l'habitude.

– Honnêtement, cela m'étonnerait beaucoup…

Seule Zoé comprenait que tous mes plans en fonction du retour de Ian étaient fichus. L'inquiétude ressentie plus tôt remonta en flèche en songeant aux journées qui s'en venaient, et que je réservais à mon amoureux et aux célébrations de mes seize ans !

– Je suis désolé, Laura, poursuivit M. Johnson. Je sais à quel point tu as hâte d'en finir avec cette histoire et j'avoue que les événements ne t'épargnent pas beaucoup.

C'est la sonnerie du téléphone cellulaire de mon père qui détourna notre attention. À ses paroles, on avait déjà compris que l'appel venait de Me Rosa Rossi. Tous les yeux étaient posés sur lui quand il mit un terme à la conversation.

– C'était la procureure de la Couronne, confirma-t-il. Le procès est ajourné. Elle nous demande de rester à Bradshaw tant et aussi longtemps qu'on n'en saura pas davantage sur l'état de santé de l'accusé et sur les décisions qui seront prises pour la suite des procédures. Mais, Laura, il est déjà assuré que notre retour à Belmont ne pourra pas se faire comme prévu jeudi soir...

Et vlan.

– Le pire, c'est que je suis persuadée que ce fichu Dunlop simule et qu'il fait du théâtre! m'écriai-je.

Non seulement je fulminais, mais le stress et ma rancœur faisaient désormais tumulte à l'intérieur de moi.

– Voyons, Laura... Tu ne trouves pas que tu sautes un peu vite aux conclusions? nota doucement ma mère, dans une tentative de me calmer.

Sans succès.

– Je te jure, maman! Je n'ai jamais vu pire manipulateur de ma vie, et il arrive toujours à ses fins. Il connaît tous les trucs de la tragédie et je parie qu'il s'en donne à cœur joie présentement!

Dans le groupe, seul Bernard Johnson pouvait accréditer ma thèse et esquissait un faible sourire.

– La vérité finira par sortir, Laura, sois sans crainte. Peut-être que demain, on nous annoncera déjà que le procès pourra reprendre dès jeudi! Souhaitons-le, dit-il.

– On le souhaite tous, effectivement, ajouta maman.

Je savais que ma mère pensait aussi à la suite des choses. Jeudi était la toute dernière journée de congé qu'elle pouvait se permettre avant de reprendre son boulot à la Fondation de l'hôpital qu'elle gérait. Sa remplaçante était retenue ailleurs dès vendredi, et pour les deux semaines suivantes. Maman se comptait déjà drôlement chanceuse d'avoir pu se libérer cette semaine, elle ne pourrait étirer son séjour avec nous.

Pour rajouter à mon désarroi, je savais également que Zoé devrait elle aussi faire le chemin du retour avec ma mère. Vendredi, elle devait passer un examen important à l'école et, avec la photo de son profil publiée dans *La Nouvelle*, nous devinions qu'elle devrait probablement fournir quelques explications à la direction de l'école.

En constatant leur propre déception, je tentai d'amorcer une conversation un peu plus légère. Cela nous permit de nous secouer un peu l'esprit avant de saluer M. Johnson, de lui donner rendez-vous pour le lendemain soir et de retourner chacun à nos quartiers.

Ce n'est qu'en me levant pour quitter le restaurant que je remarquai la présence d'un homme assis tout près de nous, juste derrière le muret qui le séparait de notre banquette. Je m'y attardai un peu, d'autant plus qu'il avait détourné rapidement le visage en me voyant le regarder. J'étais persuadée de l'avoir vu quelque part récemment…

Lasse de ma journée et de la soirée qui n'avait guère été plus reposante, je chassai toutefois rapidement ces pensées en les remplaçant par de plus agréables. Zoé et moi avions très hâte de nous retrouver devant nos écrans respectifs.

Chacune sous les couvertures de notre lit, notre ordinateur portable sur les cuisses, mon amie et moi ne pensions qu'à une chose, retrouver quelques mots doux dans notre boîte de courriels.

– Il t'a écrit, toi ? demanda-t-elle.

– Oui, lui dis-je avec un large sourire. Et toi ?

– Bien sûr… Avoue que la vie est belle ! lança Zoé.

Disons qu'on n'était pas tout à fait dans le même état d'esprit en ce moment…

– On s'en reparle la semaine prochaine, veux-tu ?

Mardi 3 mai, 23 h 05

– Laura, dors-tu ?

– Comment veux-tu que je dorme avec tous les mots de Mitch qui dansent dans ma tête !

Il avait écrit son dernier courriel avec la fougue que je lui connaissais.

« Bonsoir bel amour,

D'abord le principal. Ahhhh, tu me hantes ! Et tu me hanteras toujours !! Je rêve de te revoir, d'entendre ta voix, de t'embrasser !!! Je n'arrête plus de faire des photos pour essayer de me changer les idées, mais encore là, je rêve de toutes celles que j'ai prévu prendre de toi... Tu ne te seras jamais vue aussi belle sur des clichés. Fie-toi à Bibi !

Très grande journée de travail pour moi, aujourd'hui. C'est la toute première fois que j'avais l'occasion d'embarquer dans notre nouvel hélicoptère et, Laura, j'ai vraiment hâte que tu voies les photos que j'ai pu tirer de là-haut. Les paysages sont fabuleux et la lumière est inouïe. Si je n'avais pas le cœur lourd de te savoir si loin, je crois que ç'aurait été le périple de ma vie. J'en ai vu des beaux endroits, mais l'Alaska, Laura, c'est vraiment mon coin de paradis préféré à ce jour...

Et tu sais quoi ? Quand il a vu mes images ce soir, le chef d'équipe a commandé un autre tour d'hélico pour me permettre d'en prendre d'autres demain matin! Yeah! Le cuisinier va aussi nous accompagner, ce qui lui permettra de visiter un peu mieux les lieux avant notre départ de vendredi...

Le jour donc, mon emploi du temps est assez exaltant. Ça compense un peu pour la nostalgie qui se pointe chaque fois que la nuit tombe et que je redépose mon appareil... Le groupe ici est intéressant, mais pas assez pour retenir toute mon attention. On m'a même fait remarquer que je semblais avoir souvent les idées ailleurs...

Mais j'avoue que, ce soir, c'est différent. Ce soir, je commence enfin à considérer que le retour approche. Ressens-tu la même chose que moi?»

À cette ligne, mon cœur fit deux tours. Je ne me voyais pas du tout annoncer à Ian que je ne pourrais plus honorer notre rendez-vous à cause du procès!

«Aujourd'hui enfin, je peux compter les nuits qui me séparent de toi sans ressentir un vertige déprimant. Je me sens revivre, Laura! Je me permets même de rêvasser, sans trop me torturer cette fois, au moment où je pourrai te serrer dans mes bras, sentir tes lèvres sur les miennes, toucher tes cheveux, souffler dans ton cou et poser mes mains sur toi! J'ai même peur de devoir me retenir pour ne pas te serrer trop fort contre moi.

Je sais, je suis plutôt intense, comme tu le dis si bien. Ah! Mais, Laura, je sais aujourd'hui plus que jamais que jusqu'à maintenant, je n'avais jamais aimé autant. Et quand je me tracasse avec ton âge et avec ce que les gens peuvent en dire, je finis par conclure qu'ils ravaleront leurs paroles bientôt... Est-ce que je t'ai déjà confié que mes propres parents ont neuf ans de différence ? Quand j'aurai vingt-cinq ans et que tu en auras vingt, personne n'y prêtera plus attention. Alors imagine un peu quand nous aurons soixante-quinze et quatre-vingts ans...

Ton père m'a fait beaucoup réfléchir sur cette question, mais jamais il n'arrivera à me faire fléchir, ma belle. Je suis plus prêt que jamais à te rendre heureuse. Et sachant tout ce que tu vis présentement, je pense que nous serons plusieurs à trouver que tout ce bonheur, tu ne l'auras pas volé !

Alors s'il te plaît, chérie, dans toute l'agitation du procès et de ta vie actuelle, fais comme moi et ne pense plus qu'à notre prochain rendez-vous ! Il est vraiment près de nous maintenant ! Mon départ est fixé à 8 h, vendredi matin. Je serai à tes côtés bientôt et, cette fois-ci, ce sera pour vrai !!!

Je t'aime, ma Laura

Mitch xxxxxxxxxxxxxx

P.-S. Je ne veux pas t'embêter avec ça, mais j'aimerais vraiment que tu m'informes sur le déroulement du procès. Surtout, dis-moi comment tu vis les choses... »

Pour Zoé, j'avais résumé rapidement le courriel de Ian, sachant très bien que Thomas n'avait ni son romantisme, ni son intensité. Je devinais clairement que mon amie rêvait en silence que mon frère lui parle d'avenir lui aussi...

– Et toi, comment se fait-il que tu ne dormes pas encore ? C'est Thomas qui te hante ?

– Laura, tu sais à quel point j'ai le béguin pour ton frère, mais je dois t'avouer que parfois, il m'inquiète un peu. Et vraiment pas de la même manière que Ian t'inquiète…

– Hé ho, avant d'éteindre la lumière tantôt, tu me chantais à quel point la vie était belle, rappelle-toi. Tu ne peux tout de même pas avoir peur de Thomas !

– Je te chantais ça, comme tu dis, pour que tu fasses de beaux rêves…

– Tu as encore peur de ses sentiments, c'est ça ?

– Hum.

– Pourtant, pour un gars qui ne pensait même pas aux filles il y a quelques mois à peine, je trouve qu'il t'écrit souvent. Et il veut toujours être avec toi !

– Oui, je sais qu'il m'aime et qu'il apprécie ma compagnie. J'en suis certaine…

– Ben… Qu'est-ce qui te tracasse dans ce cas ? Zoé, dis-moi le fond de ta pensée.

– J'ai de la misère à décrire moi-même mes sentiments. Je sais que Thomas m'aime. Il m'aime beaucoup, même. Et pour cette raison, je sais aussi que jamais, il ne voudrait me faire de la peine…

– Évidemment ! Et pourquoi donc voudrait-il te faire de la peine ? Qui voudrait te faire de la peine, toi ? Là-dessus, Thomas et moi, on est vraiment pareils !

– C'est peut-être ça justement, Laura…

– Attends un peu, qu'est-ce que j'ai dit, là ?

– Elle est précisément là, mon inquiétude. Je crains que Thomas m'aime un peu comme toi tu m'aimes…

– Oh, Zoé…

Mon soleil était triste. La plus folle et la plus chère de mes amies se métamorphosait sous mes yeux. Jamais encore, je ne l'avais sentie aussi amoureuse et jamais encore, je ne l'avais vue si sérieuse. Je voulais tellement soulager ses angoisses, sans en trouver les mots. Le silence était retombé, trop lourd, entre nous deux.

– C'est sûrement le fait que nous sommes jumeaux qui te mêle, Zoé… Tu nous as toujours tellement comparés tous les deux, c'est peut-être devenu un réflexe chez toi. Tu as toujours l'impression qu'on ressent les mêmes choses dans telle ou telle circonstance, mais cette fois-ci, c'est tout à fait différent !

– Peut-être… Mais il y a plus… Je crois que ton histoire d'amour avec Ian me fait réfléchir. C'est tellement plus enflammé. Ses ambitions avec toi, sa passion, ses tourments, son obsession…

– Ouais ben là, tu ne peux pas non plus comparer les deux histoires…

– Et pourquoi pas ?

– Eh bien parce que Ian et moi, depuis que l'on se connaît, on ne peut pas être nous-mêmes ! Ça fait des mois que l'on se fait mettre des bâtons dans les roues et que tout nous éloigne. Si tu veux mon avis, je crois que ce sont les circonstances qui font que notre passion est devenue si intense alors que, de ton côté, Thomas est là… Il est toujours là, même ! Laisse-lui un peu de temps. C'est tellement différent… Si Ian avait eu quinze ans et que les choses s'étaient passées normalement, on en serait bien ailleurs dans notre type de relation.

– Peut-être…

Encore une fois, je savais que mes mots n'étaient pas assez forts pour être aussi efficaces que je l'aurais souhaité. Je regardais Zoé, qui fixait le plafond. Et je savais fort bien qu'elle retenait ses larmes.

– Zoé. Tu sais à quel point je suis en désaccord présentement avec mon père, mais il y a tout de même une phrase qu'il me répète souvent et que j'aime bien. Il dit toujours : « Laisse le temps faire les choses… »

J'avais essayé d'imiter la voix rauque de mon père, mais mon exercice avait été lamentable.

– J'essaierai de la retenir, celle-là, soupira-t-elle. Mais, Laura, c'était vraiment ridicule cette voix…

– Je sais…

Quand nos rires éclataient ensemble de la sorte, j'avais l'impression qu'il pourrait se passer n'importe quoi et que, finalement, c'est l'amitié qui nous consolerait de tout. Ce séjour à Bradshaw aurait été tellement mortel sans Zoé.

J'appréhendais déjà son départ, jeudi.

Mercredi 4 mai, 9 heures

J'en étais venue à détester royalement les petits coups frappés à la porte de ma chambre. Et j'en voulais déjà à la personne qui se trouvait derrière celle de notre chambre d'hôtel alors que l'on savait tous pertinemment que le procès était ajourné et que, pour une fois, on aurait pu se permettre une grasse matinée.

La veille, les discussions s'étaient éternisées entre Zoé et moi. C'est en nous efforçant d'être raisonnables que nous avions éteint les lumières pour dormir à 2 h 25 du matin… C'est donc en grommelant que je me rendis ouvrir la sapristi de porte et que je vis ma mère plantée dans le couloir, mal à l'aise, un journal sous son bras.

– M'man… Tu n'avais pas le goût de dormir, ce matin ?

– Oui, mais ton père et moi, on s'est fait réveiller par plusieurs coups de téléphone. Il faut que l'on se parle, ma belle, fit-elle en désignant le journal qu'elle tenait toujours.

– Tu ne vas pas m'apprendre que Dunlop est mort cette nuit !

Je souriais à pleines dents alors que ma mère me jetait un regard sombre. Je me rendis compte du caractère morbide de mes paroles…

– Allez, c'est une mauvaise blague… Mon humour n'est pas encore bien réveillé. Dis-moi ce qu'il y a encore ce matin, soupirai-je en lui tirant une chaise.

– Bien, disons qu'il y en a d'autres qui ont un certain talent pour les mauvaises blagues, dit-elle en me donnant son exemplaire du journal *L'Express de Bradshaw*.

Ce journal avait beau être l'un des plus populaires de la province et rivaliser avec son grand concurrent, *Le Métropolitain*, ses tendances sensationnalistes faisaient en sorte qu'il n'était pas le préféré chez nous.

Ce jour-là, donc, on faisait la moitié de la une avec les images saisissantes d'un gros carambolage qui avait été causé par le brouillard, la veille en fin de journée.

– Tu connais quelqu'un là-dedans ?

– Non. Regarde plus haut… Puis, en page cinq.

Mon regard ne fut pas si surpris en notant le titre : « Coup de théâtre au procès de Didier Dunlop ».

– Bien sûr, on devait s'y attendre, maman…

– Page cinq, insista-t-elle.

Rapidement, mon regard s'aventura en haut de ladite page, consacrée à un article sur le malaise cardiaque de l'accusé. En baissant les yeux, je grimaçai en voyant une photo de moi en marge d'un deuxième article. Je constatais d'ailleurs que la taille de la photo était beaucoup trop importante pour ma présence comme témoin… Jusqu'à ce que le titre me saute au visage et crée l'effet d'une puissante gifle.

« Il fait du théâtre ! » – Laura St-Pierre, témoin

Je dus m'y prendre par deux fois avant de saisir que la citation m'était attribuée. Je sentis mon visage devenir complètement écarlate avant de m'affaisser sur le coin de mon lit.

– Oh, bordel !

Maman n'osait plus parler. Zoé était accourue à mes côtés. Un genou posé sur mon lit, elle lisait par-dessus mon épaule.

« Je suis persuadée qu'il simule et qu'il fait du théâtre. Je n'ai jamais vu pire manipulateur de ma vie. » C'est avec ces mots que la jeune témoin Laura St-Pierre, 15 ans, a accueilli, hier soir, la nouvelle du malaise cardiaque de Didier Dunlop, qui a eu pour effet d'ajourner son procès aujourd'hui.

Plus tôt en journée, la jeune fille originaire de Belmont avait expliqué en détail à la cour les circonstances qui ont mené à l'arrestation de cet enseignant en théâtre au Collège Fisher de Bradshaw. Rappelons que l'homme doit répondre à des accusations d'agressions sexuelles sur mineures, de voies de fait, d'administration d'une drogue dans l'intention de lui permettre de commettre un acte criminel et de possession illégale de stupéfiants.

Au cours de son exposé à la barre des témoins, Laura St-Pierre s'était attardée longuement sur les manœuvres de l'enseignant pour « manipuler » les élèves de sa troupe. En soirée, elle en rajoutait cette fois en commentant l'entrée à l'hôpital de l'accusé. « Il connaît tous les trucs de la tragédie et je parie qu'il s'en donne à cœur joie », affirmait-elle.

Au procès, le contre-interrogatoire de cette jeune femme devait être à l'horaire aujourd'hui, mais les procédures seront retardées jusqu'à ce que les autorités jugent que l'état de santé de Didier Dunlop lui permette de revenir au box des accusés.

On se rappellera que devant la gravité des gestes posés, le juge avait estimé que l'accusé constituait un danger pour la société et qu'il serait incarcéré pour la durée de son procès.

– C'est lui ! C'est le journaliste de *L'Express de Bradshaw* qui était là hier soir !

– Où ça ?

Maman et Zoé avaient réagi d'un même souffle.

– Sur la banquette à côté de la nôtre ! Juste derrière le muret ! Nous ne pouvions pas vraiment le voir quand nous étions assis, mais en me levant, je l'ai remarqué. C'était bien lui ! Je me demandais où j'avais vu cet homme... Mais je ne lui ai jamais parlé ! Il a entendu mes paroles et il les a rapportées ! Le salaud, il écrit « affirmait-elle », comme si je lui avais accordé une entrevue !

– Alors tu ne lui as jamais parlé, n'est-ce pas ? interrogea ma mère.

– Jamais ! Tu te souviens ? Ce sont les paroles que j'ai dites hier soir au restaurant. Je croyais qu'on était entre nous ! Et j'ai l'air d'une furie maintenant...

– Et ce journaliste, il a le droit de faire ça? Qu'est-ce qu'il faisait là, d'ailleurs? questionna maman à voix haute.

– Je n'ai aucune idée de ce qu'il faisait là... Mais il faut croire qu'il a pris tous les droits! Bernard Johnson m'avait avertie que l'équipe de *L'Express* essaierait de tirer son épingle du jeu... Il dit qu'en raison du fait que je suis associée au *Métropolitain*, les concurrents ne se gêneraient pas... Mais là, ça dépasse les bornes! Non?

– Bien sûr, Laura. Complètement. Ton père essaie de joindre Bernard, justement. Et la procureure de la Couronne veut te parler. Je lui ai dit que tu lui téléphonerais.

– Ouf. Elle qui avait travaillé si fort avec moi pour que je témoigne sans état d'âme... Je sais bien que j'ai été flouée et pourtant, j'ai honte, maman, tu ne peux pas imaginer.

– Laura, tu as toujours bien le droit de penser. C'est le journaliste qui est en faute. Tu n'as pas à t'en vouloir, même si ces paroles n'étaient pas tes plus... éloquentes, disons.

J'étais terriblement gênée en composant le numéro de téléphone de Me Rosa Rossi. Heureusement, mes complices faisaient preuve de délicatesse. Pour me laisser seule, Zoé s'était retirée sous la douche alors que ma mère était repartie vérifier si mon père avait bel et bien joint Bernard Johnson.

Quant à moi, je me sentais plus débutante que jamais, et je craignais déjà qu'au *Métropolitain*, mon étoile perde un peu de son lustre... Eux qui m'avaient fait confiance et qui me promettaient un stage chez eux à la fin de mes études !

Jusqu'à ce jour, j'avais été terriblement chanceuse avec les médias, mais cet incident me ramenait vite à la réalité, à savoir que tous les journalistes n'étaient pas d'un professionnalisme égal…

Me Rossi fut, encore une fois, une vraie perle avec moi. Dès qu'elle comprit ce qui s'était passé, elle me rassura en précisant qu'elle était certaine que le juge comprendrait lui aussi la situation. La conversation avec elle m'avait par ailleurs permis de prendre connaissance du dernier état de santé de ce satané Dunlop.

– J'ai bien peur que tes soupçons n'aient été erronés, me rapporta Me Rossi. En tout cas, s'il faisait du théâtre, il est extrêmement habile, car il a fait un deuxième arrêt cardiaque cette nuit et cette fois, on l'a transféré d'urgence à l'Institut de cardiologie.

Je savais qu'elle tentait de faire un peu d'humour à mes dépens, mais tout compte fait, même si je trouvais la situation terriblement gênante, je préférais que l'on se paie un peu ma tête plutôt que l'on m'accuse d'avoir bousillé le procès.

– Que va-t-il se passer maintenant qu'il est là-bas ? m'enquis-je.

Sans le montrer, je croisai mes doigts et mes orteils, espérant de tout cœur que sa situation me permette de retourner à Belmont dès jeudi, et pour longtemps.

– Pour le moment, les cardiologues sont encore à l'étape de faire des examens. Ils sont au courant du contexte et nous assurent que l'on devrait être fixés vendredi après-midi. Si son état s'améliore et qu'on le juge hors de danger, on pourrait reprendre les procédures la semaine prochaine, sinon la suivante. Mais si une opération majeure devait avoir lieu, le procès serait retardé de quelques mois, j'en ai bien peur.

Je priais secrètement pour que l'opération soit nécessaire et que je retourne enfin à ma vie normale à l'école, et à ma nouvelle vie amoureuse... Mais si l'autre scénario survenait et que je me retrouvais dans l'obligation de rester à Bradshaw, je ne donnais pas cher de mon moral. D'autant plus que, rendue là, je commençais à craindre ne plus pouvoir sauver mon année scolaire.

Avec la dérogation de la cour, il avait été facile de nous organiser avec l'école pour rattraper ma semaine au procès. Rien n'avait toutefois été prévu pour une absence prolongée.

Des scénarios de catastrophe apparaissaient dans ma tête. J'en étais à imaginer avec effroi devoir reprendre ma quatrième secondaire quand Zoé réapparut, pimpante.

– Dis, Laura, je pensais à ça, là... Ce serait vraiment chouette s'il succombait sur la table d'opération, hein? rigolait-elle. Tu crois que les journalistes rapporteraient mes propos si je formulais mes vœux devant eux?

– Arrête de niaiser avec ça, Zoé. Tu ne trouves pas que je me suis assez mis les pieds dans les plats avec mes supposées déclarations?

– Et moi, je parie que la majorité des lecteurs ont pris pour toi…

– Zoé, est-ce que je peux t'avouer quelque chose qui restera entre nous à tout jamais ?

– À votre service, nota-t-elle en faisant une courbette.

– Ton scénario pour Dunlop… Eh bien, j'en rêve aussi.

– Attends… Tu souhaites vraiment sa mort ?

– Vraiment. Et juste de penser que j'entretiens de telles idées… Ça me fait paniquer.

– Ne t'inquiète pas. C'est sûrement normal, rigolait-elle.

– Tu crois ?

– Oui, je le crois. Je crois aussi que nous n'avons jamais eu une conversation aussi bizarre…

– N'est-ce pas…

– Et je crois qu'on a droit maintenant à une petite virée dans les boutiques… Après le déjeuner, tu penses qu'on en aura le temps avant de nous rendre chez les Johnson ? On est en vacances aujourd'hui, non ?

Mercredi 4 mai, 17 heures

Zoé, maman et moi avions effectivement eu le temps de nous procurer quelques livres à la librairie, quelques chandails dans une boutique vraiment chouette, quelques effets personnels à la pharmacie, de même qu'une bouteille de vin et un cadeau d'hôtesse pour les Johnson.

Mon amie était nettement impressionnée par la demeure de nos hôtes et n'arrêtait plus de me faire des simagrées-de-fille-épatée dès que nous nous retrouvions à l'abri des regards. Malgré ses précautions, Holly l'avait toutefois surprise et avait tout bonnement souri devant l'exubérance de mon amie.

Vers 15 heures, Zoé avait reçu un nouveau texto de la part de Thomas, un message qui l'avait mise dans un état d'excitation important. J'adorais mon frère, qui comprenait toujours tout sans poser de questions. Il ne m'avait même pas répondu, vers midi, quand je lui avais texté, en douce:

« Si tu l'aimes, ta chérie, c'est le temps de lui en glisser un mot. Un très beau mot. D'amour, évidemment... Ne te gêne surtout pas ! »

Je n'avais pas non plus cherché à savoir ce qu'il avait fini par lui révéler dans son texto, mais le résultat était épatant. Mon amie rayonnait. Et quand elle était dans cet état, personne ne pouvait l'intimider, pas même les Johnson.

C'est d'ailleurs par les questions incessantes de Zoé que mes parents et moi en avions appris énormément sur les deux empires médiatiques qui se disputaient les lecteurs de la province. Les journalistes de *L'Express de Bradshaw* avaient une culture qui leur était propre et n'avaient pas beaucoup de scrupules, observait Bernard Johnson.

– Et s'ils ont trop de scrupules, ils ne demeurent pas longtemps dans cette salle de rédaction, disait-il.

Avec son impressionnant réseau de contacts, il avait déjà appris que le journaliste qui avait étalé mes propos, ce matin, était le frère du gérant du restaurant de l'hôtel et que, régulièrement, il se servait de la salle à dîner pour y faire ses entrevues.

– C'est un habitué de la place, Laura. Il y avait soupé avec un député, ce soir-là. Il était là purement par hasard, mais quand il nous a reconnus, il n'allait certainement pas rater l'occasion d'épier notre conversation, nota M. Johnson. Ceci dit, je n'avais jamais vu un journaliste se rendre jusque-là. C'est de bas étage et j'en conviens tout à fait. Nous allons déposer une plainte au Conseil de presse, sois-en assurée.

– Risque-t-il de perdre son emploi ?

– Malheureusement non, mais il recevra assurément un blâme sérieux. Aucun autre média ne cautionne ce type de manœuvre. Comme tu as pu le noter, personne n'a repris sa nouvelle aujourd'hui. Ni les journaux, ni les chaînes télévisées.

Papa m'en avait fait la remarque, lui aussi, après avoir épié les médias dans la journée pour voir les répercussions de mes propos. Il enchaîna d'ailleurs lui aussi avec une panoplie de questions pertinentes sur le métier.

Autant avec les événements du matin, j'avais appréhendé le souper, autant la soirée s'était déroulée à merveille. Les Johnson étaient des gens formidables et Zoé baignait dans cette atmosphère comme si elle les connaissait depuis toujours. La tornade brune faisait rage et charmait tout le monde avec son humour.

En revanche, mon amie avait été elle aussi drôlement impressionnée par l'intelligence et la gentillesse de Holly qui, à son tour, avait bien voulu répondre à sa tonne de questions concernant ses études en psychiatrie… Zoé s'était rabattue sur elle pour tout connaître de ce domaine. Jusqu'à simuler les agissements d'une schizophrène pour savoir si son personnage était crédible…

N'empêche que cela faisait un très long moment que j'avais passé une soirée complète sans que mon esprit aille vagabonder du côté du Grand Nord. Ce qui ne m'empêcha pas de me ruer sur mon ordinateur aussitôt revenue à ma chambre. Et pour une très rare fois, il n'était pas là…

Mon cœur se serra à l'idée que Mitch ait oublié de m'écrire. J'allais partager le coup avec Zoé quand je la surpris devant son écran avec le regard lumineux et un large sourire aux lèvres. Je la voyais rarement aussi concentrée et la déranger dans ce moment furtif était bien la dernière chose que je souhaitais. Je comprenais que le beau Thomas s'était donné, ce soir aussi… J'en profitai pour apprécier son bonheur. Elle le méritait tellement.

Et elle avait raison. C'était vrai qu'elle était très belle, la vie. J'avais tellement hâte au retour de mon Ian. Trop hâte.

Jeudi 5 mai, 13 h 45

Le départ de l'autobus qui ramenait maman et Zoé à Belmont était fixé à 15 h 30 et j'aurais payé très cher pour me joindre à elles. Non seulement mon amie s'en allait, mais en plus, je restais seule à Bradshaw avec mon père…

J'avais beau revenir à des jours meilleurs avec lui, conséquence directe du retour imminent de Ian, je ne me voyais tout de même pas passer des jours à bavarder de je ne sais trop quoi avec mon paternel.

– Ça va être mortel… avais-je confié à Zoé avant de quitter notre chambre pour la gare.

– Profites-en pour faire la paix avec lui, Laura. Il est tellement gentil.

– Gentil ? Tu te rends compte qu'un autre gars que Mitch aurait pu me plaquer là devant ce fou furieux !

Zoé rigolait.

– Un autre gars, mais pas Ian. Tu vois ? C'est grâce à ton père si tu sais à quel point il est brave, ton Roméo.

– Arrête un peu… Si, en plus, il avait fallu que je perde mon premier grand amour par sa faute, je crois que je ne le lui aurais jamais pardonné !

– Écoute, je comprends que tu lui en veuilles, mais il y a toujours deux côtés à une médaille, comme dirait ma mère. Même elle comprend ça…

– Ta mère ? Voyons, elle t'a toujours tout permis !

– Oui, mais elle affirme que mon propre père aurait sûrement agi comme le tien.

Zoé était une fille tellement vive et joyeuse que j'en arrivais à oublier qu'elle n'avait plus la chance d'avoir de père… Le sien était décédé dans l'explosion d'une mine où il travaillait alors qu'elle n'avait que cinq ans et, encore aujourd'hui, je sais qu'elle conservait toujours une photo de lui dans son sac à main.

– Elle dit que n'importe quel père sensé aurait toutes les raisons de s'inquiéter de la fréquentation de sa fille de quinze ans avec un garçon de vingt ans, poursuivait-elle. Moi aussi, je trouve ça bête, mais que veux-tu ? Ils sont comme ça, nos dinosaures !

Tout en jacassant et en tentant de me faire entendre raison, Zoé empilait ses vêtements dans sa valise en un fouillis que je n'osais pas relever. Mais c'était affreux.

Elle était encore avec moi et elle me manquait déjà.

C'est dire que j'avais les larmes aux yeux quand, sur le quai du terminal, j'envoyai mon dernier au revoir à maman et à Zoé…

C'est mon père-poule-d'une-fille-de-quinze-ans qui brisa l'atmosphère.

– Que dirais-tu d'aller voir un film au cinéma avant le souper ? C'est toi qui choisis le restaurant, annonça-t-il.

– Ooouuhh, sifflai-je, ne serait-ce que pour me prêter à son jeu de la réconciliation. Et dis-moi, est-ce que je choisis le film aussi ?

– Euh... Non.

Comme il fallait s'y attendre, une fois arrivés au cinéma, nous avons valsé entre deux genres. Mon père reluquait le tout dernier James Bond alors que de mon côté, je n'avais d'yeux que pour Ryan Gosling qui tenait la vedette d'une nouvelle comédie romantique... Par bonheur, les deux longs métrages n'avaient que 35 minutes de décalage, ce qui nous permettrait de visionner chacun notre film et de nous rejoindre ensuite au petit café situé juste en face du cinéma.

– Tu es certaine que ça ne te dérange pas d'aller m'attendre là-bas ? Tu ne trouveras pas ça long ? s'enquit-il.

– Papa... Trente-cinq minutes, c'est tout juste le temps de me commander un jus et de jeter un œil au journal.

– Comme tu veux. D'ailleurs, tu me fais réaliser... C'est la première journée depuis que l'on est à Bradshaw que je n'ai pas eu le réflexe de fouiller les journaux pour voir si ma fille n'y serait pas par hasard, rigolait-il.

Il était évident qu'il était heureux de me retrouver. J'y fus sensible. Mais pas autant que je fus sensible aux charmes de Ryan Gosling sur le grand écran ! Après Ian Mitchell, c'était vraiment le plus beau gars de la planète. Parmi ceux que je connaissais, du moins… Mais le malheur avec les comédies romantiques, c'est qu'on a le goût de se retrouver avec son amoureux tout de suite !

En traversant la rue pour me rendre au café, je songeais aux onze journées qu'il me restait à passer avant de le revoir et j'essayais de calculer mentalement les heures. En commandant un jus et un muffin, j'avais peine à imaginer que, dans deux jours, il serait de retour à Belmont ! Et en ouvrant le journal, je dus me concentrer pour retrouver mon calme, mon imagination gambadant trop frénétiquement à mon goût.

Pour la première fois, j'eus le réflexe de consulter *L'Express de Bradshaw*, ne serait-ce que pour vérifier s'ils n'avaient pas inventé des mots à me faire dire… Mais tout ce qu'il y avait au sujet du procès de Didier Dunlop était un petit bilan de son état de santé. J'avoue qu'il n'y avait pas autre chose à dire.

Contrairement au *Métropolitain*, ce journal était très orienté sur les faits divers. Ce n'est toutefois qu'en page sept que mon regard resta figé sur un titre. Et que mon cœur s'emballa net.

« Un hélicoptère s'écrase dans le Grand Nord – Il n'y aurait aucun survivant parmi les trois passagers »

Je relevai la tête promptement, en proie à une panique intérieure telle que je n'en avais jamais vécue jusque-là. Mon cerveau refusa l'information et je tournai instinctivement la tête de côté. Avais-je émis un son ? La dame et son amie, à la table voisine, me dévisagèrent, ce qui me fit tourner la tête du côté opposé. Je n'osais plus la rebaisser de peur de tomber de nouveau sur l'article maudit.

Mes yeux étaient écarquillés. Mon cerveau s'embrumait de plus en plus. Ian. Mon Ian. Je veux le voir. Je veux le voir. Je veux le voir. La tirade tournait sans cesse dans ma tête à mesure que le rythme des battements de mon cœur prenait de l'ampleur.

Je me levai dans le petit café, sans même savoir où me diriger. De plus en plus, des regards se tournaient vers moi. Je revins à ma chaise. Je ne sais combien de temps je demeurai obstinément assise là, le menton en l'air pour que mes yeux ne retombent pas sur le journal, et songeant que j'avais certainement mal lu. Qu'il y avait sûrement plusieurs hélicoptères qui circulaient dans le Grand Nord… Même immobile, j'étais haletante et je savais que je devrais affronter l'article.

C'était impossible. Impossible. Mais en un éclair, mon cerveau m'envoya une information qui fit bondir mon cœur de nouveau. Mitch ne m'avait pas envoyé de courriel la veille. Il était sûrement trop occupé. Trop fatigué. Trop…

Je savais que je ne pourrais plus tenir encore longtemps comme cela. Intérieurement, je comptai lentement, très lentement jusqu'à trois et me forçai à rebaisser la tête comme on se lance en parachute à 10 000 pieds d'altitude.

« L'épave d'un hélicoptère avec trois hommes à bord a été retrouvée hier vers 16 heures sur le flanc d'une montagne, au nord de Fairbanks. Les chances de retrouver les occupants en vie sont pratiquement nulles, ont annoncé des responsables du Centre de coordination des secours de l'Alaska. L'épave de l'appareil se trouve sur une pente aride et semble avoir frappé directement la montagne.

L'équipage d'un navire avait signalé la disparition de l'hélicoptère, sur les coups de midi, indiquant que trois personnes de leur groupe étaient à bord de l'appareil. »

NOOON ! Je relevai une fois de plus la tête, ne sachant plus où regarder. Mes cris restèrent pris dans ma gorge. Le brouhaha du café se transforma en un vacarme sourd et lointain dans mon esprit. Ma vue s'embruma complètement. Jamais, jamais, je ne m'étais sentie aussi seule. Jamais je n'avais lutté aussi fort pour m'inciter à poursuivre une lecture.

Avant de redescendre les yeux, je priai. Je priai avec une intensité folle même si, jusqu'à ce jour, je ne l'avais jamais fait ailleurs qu'aux messes de minuit à Noël… Et je priai encore. Très fort. Je crois même que j'avais joint les mains au-dessus du journal.

Mon Dieu, s'il vous plaît. Mon Dieu, s'il vous plaît. Mon Dieu, s'il vous plaît. Faites que Mitch n'y soit pas. Faites que Mitch n'y soit pas. Faites que je retrouve mon amoureux. S'il vous plaît. Et je rebaissai les yeux. Et mon cœur craqua.

« Les trois hommes seraient le pilote de l'hélicoptère, ainsi qu'un photographe de presse et un cuisinier qui faisaient partie de l'équipage du navire. Des équipes de secours tentent actuellement de retrouver les corps, mais avec les mauvaises conditions météorologiques et les forts vents observés, les recherches étaient toujours infructueuses hier en fin de soirée. »

Je cherchai ma respiration.

Je ne peux pas y croire. Je ne peux pas y croire. Je ne peux pas y croire. C'est impossible ! Ça ne peut pas lui arriver. Ce n'est pas en train de m'arriver !

Je me fis ultimement violence pour relire la phrase du journal.

Un photographe de presse…

Un cuisinier…

Un pilote…

L'équipage d'un navire…

Le choc me figea sur place. À travers ma vue trouble, je vis la page du journal se remplir des larmes que je déversais sans m'en rendre compte. La dame d'à côté tenta de m'aborder, mais je ne vis que ses lèvres bouger. Je retirai sa main de mon bras et me levai. Je n'avais dès lors qu'un seul et unique objectif, atteindre la porte extérieure vitrée. C'est en l'ouvrant que l'air gifla mon visage et qu'une partie de mes cheveux virevoltèrent au vent, les autres, imbibés, restant collés à la peau de mes joues et à celle de mes paupières.

Au premier coin de rue, je n'ai même jamais regardé si une voiture pouvait surgir. Je n'entendis que des roues crisser et de furieux coups de klaxon. De l'autre côté de l'artère, je sentis mes jambes me lâcher et c'est à la manche d'un inconnu que je m'agrippai. L'homme tenta de dégager mon visage avec ses mains, provoquant chez moi le réflexe de me débattre comme une furie. Étais-je responsable des cris d'animal traqué que je venais d'entendre ?

Je tentai de courir, mais sans grand succès. Ma respiration étant déjà haletante, les efforts dispensés menaçaient de me faire suffoquer. Dans une petite rue empruntée à ma gauche, qui semblait moins achalandée, je m'accroupis au sol, aux prises avec une nausée. En tentant de me relever, je sentis des sueurs froides envahir la racine de mes cheveux, puis ma nuque, et je vomis sur le pas d'une boutique.

Ma main toucha le sol à côté des vomissures, juste à temps pour amortir la chute qui me fit vriller de côté, ma tête se cognant violemment sur le mur de briques de la bâtisse. Tout tournait autour de moi et c'est avec de grands efforts que j'essayai de me concentrer sur un point fixe, cherchant à contrecarrer le vertige qui me menaçait encore.

Mes réflexions se bousculaient.

Ce n'est pas vrai. Ça ne peut pas être vrai. Mitch est probablement sur le bateau. Actuellement, il doit être en train de m'écrire. Un hélicoptère, un photographe de presse, un cuisinier, l'équipage d'un navire. C'est un cauchemar. Je vais me réveiller.

Toujours accroupie, je tentai de me raisonner, mais des tremblements prirent soudain d'assaut tout mon corps. Puis le froid. Je grelottais de plus en plus.

À vue de nez, sous la lisière de mes cheveux, trois paires de souliers étaient alignées devant moi. En agitant faiblement la main, je leur fis signe de débarrasser le plancher. Deux paires de souliers s'éloignèrent lentement. Pas la dernière. De loin, j'entendis des bribes de phrases.

– … va?

– … vous aider… ?

Tout ce que je trouvai à dire fut : « Laissez-moi tranquille… »

Le son était sorti si faiblement que la personne n'avait sans doute pas entendu. Je tentai de hausser le ton, qui se changea cette fois en supplication.

– S'il vous plaît, laissez-moi tranquiiiiillllle…

Ma phrase se termina dans un horrible sanglot. Les mains crispées derrière ma tête, le visage vers le sol, je me déversais désormais. Comme si après avoir trouvé leur chemin d'évacuation, les larmes avaient redoublé de cadence, entraînant dans leur sillage une série de hoquets et la menace toujours latente de manquer de souffle.

En tentant de trouver un mouchoir, une serviette de table, quelque chose, je réalisai tout à coup que j'avais laissé mon sac à la table du restaurant. Dans une nouvelle poussée d'adrénaline, je bondis sur mes pieds et courus en direction du café. Mais en tournant le coin, je le vis au loin, traversant la rue. Papa. Le son sortit dans un étranglement. Non. Pas lui. Pas lui. Je ne veux pas le voir. Je ne veux plus le voir. Coincée, je fis volte-face rapidement. Et je courus, courus sans m'arrêter. Je pris une petite rue, puis une autre, dans un décor qui m'était totalement inconnu.

À bout de souffle, je décidai que la longue ruelle, à ma droite, serait mon refuge et j'y dénichai un petit coin reculé qui me sembla être l'entrée arrière d'une bâtisse. N'en pouvant plus, je me laissai glisser le long du mur de la bâtisse jusqu'à ce que mes fesses touchent mes talons, jusqu'à ce qu'elles touchent le sol, et je restai là. Interdite. Épuisée.

Je veux voir Ian. Mon Mitch. Où est-il ? Et comment peuvent-ils être certains qu'il n'y a pas de survivant… Mitch ?

La tête cachée entre mes bras croisés sur mes genoux, je ruminai quelques pensées d'espoir jusqu'à ce que cessent les tremblements qui secouaient mon corps et je tentai de faire le vide.

Mais la peur refit rapidement surface. Peur de ne plus jamais sentir la chaleur de son souffle, la douceur de ses cheveux, l'électricité de son regard, l'habileté de ses mains.

Je veux le voir. Ça fait trop mal. Où est-il, perdu dans ce Grand Nord ? Où se trouve son corps dans ce vaste espace blanc ?

Il ne devait pas y aller. Il ne devait pas y aller. Il ne devait pas y aller.

Mes pensées se bousculaient dans un flot incessant de peurs et de vertiges. Après une éternité, je dirais, c'est un museau humide qui, flairant mes cheveux, m'incita à relever la tête. Je me retrouvai face à un chien blond dont je n'aurais pu dire la race et qui, contre toute attente, se coucha à mes côtés, son dos collé sur mes cuisses. C'est lui qui dut subir la nouvelle secousse. Me penchant sur lui, je le pris par le cou, enfonçai ma tête dans la fourrure de son col et me remis à pleurer de plus belle.

Je ne sais pas si je dormis ou si ce n'est que la conscience qui me quitta à ce moment-là, mais la nuit était tombée lorsque j'ouvris les yeux à nouveau. Le chien n'y était plus, mais j'entendais des bruits désormais derrière une porte qui se trouvait à proximité. Redoutant que quelqu'un me surprenne dans cet état, je me levai prestement et repartis. Ce n'est qu'après quelques pas que la nouvelle du journal refit surface dans mon cerveau pour m'achever.

Non seulement je ne savais plus où j'étais, mais je m'en fichais éperdument. Tout ce que je voulais maintenant, c'était marcher, et marcher. Mon souffle redevint court, mes yeux s'embrumèrent une énième fois et mon visage s'inonda de plus belle.

Et je marchai. Je marchai.

À un moment, je sentis le besoin d'entrer dans un café pour aller aux toilettes, mais je n'avais plus rien pour me payer à boire. C'est là que j'aperçus un poste Internet disponible sur un comptoir. Je m'assis sur le tabouret et me mis furieusement à pitonner.

Google. Actualités. Grand Nord. Hélicoptère.

Et je la vis. Je vis l'image, au loin, de l'hélicoptère à flanc de montagne. Je vis les secouristes perdus dans l'immensité blanche qui luisait désormais sous un soleil éclatant. Une fois de plus, je me forçai à lire. De toute manière, ce ne pouvait être pire.

Ce l'était.

« *[…] L'appareil aurait subi un impact direct auquel il est impossible de survivre, tranche l'un des secouristes.* »

On y indiquait par ailleurs que les proches des victimes avaient désormais été avisés. Un porte-parole de l'équipage avait identifié les personnes décédées tragiquement. Il s'agissait « *du pilote Benoît Nicholls, du photographe de presse Ian Mitchell* […] »

Je n'avais plus de jambes. En tentant de descendre du tabouret, mes genoux plièrent et me lâchèrent.

Jeudi 5 mai, 20 h 35

Deux têtes sont penchées au-dessus de moi. Des yeux sont posés sur mon visage. Je veux me relever, mais ces gens me somment de rester tranquille. Ils m'informent que des secours s'en viennent. Noooonnnn !

Je les pousse. Je me relève péniblement sous leur regard ahuri. Je tente de m'excuser au passage, mais je crois que les mots n'ont pas franchi ma bouche. La porte que j'essaie d'ouvrir s'échappe de ma main. Je la reprends solidement pendant qu'une autre main étrangère tente de me retenir et que je la repousse.

Cette fois, l'air frais m'indique que je suis bel et bien de retour sur le trottoir. J'entends des « Mademoiselle ! » derrière moi, mais plus je cours, plus ils deviennent diffus. Je prends la rue à droite. L'autre à gauche. Je veux me perdre. Je veux que personne ne me retrouve. Personne.

Haletante, je ralentis le pas et je m'aperçois enfin qu'en marchant plus tranquillement, je parviens mieux à éviter les regards que je croise. Je décide que ce sera ma nouvelle stratégie. Je marche, désormais. Je marche tranquillement. Tête baissée.

C'est un cauchemar. Je vais me réveiller. C'est impossible. Il m'a écrit tout juste avant-hier. Je me souviens. Il est vivant. Je revois ses mots.

« Je me sens revivre. »

« [...] je me permets enfin de rêvasser sans trop me torturer au moment où je pourrai te serrer dans mes bras, sentir tes lèvres sur les miennes, toucher tes cheveux, souffler dans ton cou et poser mes mains sur toi ! »

« Alors, imagine un peu quand nous aurons soixante-quinze et quatre-vingts ans... »

« [...] fais comme moi et ne pense plus qu'à notre prochain rendez-vous ! »

« Je t'aime, ma Laura »

Et je relis en mémoire ses mots précédents, ceux que j'ai déjà relus mille fois. Ils sont sur mon écran. Noir sur blanc.

« Laura, je te promets que je serai avec toi le soir du 16 mai. »

« [...] j'aimerais que l'on reprenne tout depuis le début. J'aimerais aussi que tu rencontres ma famille. »

« Je ferai des X sur mon calendrier chaque soir. Jusqu'au 16 mai qui sera, je l'espère, le plus merveilleux anniversaire de ta vie. »

Je sais que je pleure lorsque j'aperçois les gouttes qui tombent devant moi, parfois au sol, parfois sur le dessus de mes souliers.

Je vais le revoir. Il a écrit ces mots. Nous allons nous retrouver. Le contraire est inimaginable. Je ne veux pas que ma vie s'arrête à quinze ans. Bientôt seize. Je serai là, Ian Mitchell. Je me donnerai complètement à toi. De grâce, attends-moi. Ne pars pas sans moi. Reste là, mon amour. Je m'en viens. Je m'en viens. Ne pars pas. Nous allons tout arranger. Je te laisserai faire. Je te laisserai faire tout ce que tu voudras. Je serai tout à toi. Attends-moi, Mitch. Ne me faites pas ça, mon Dieu. Ne me faites pas ça.

Mes larmes coulent en silence et les mots tourbillonnent dans ma tête à m'en épuiser. Je cherche un endroit où m'asseoir. Je cherche un banc. En relevant la tête, je vois un parc comme on imagine un mirage. Il y a un garçon blond qui semble quitter ce parc. Je cours désormais. Je cours de toutes mes forces, mais plus j'approche, plus je réalise que ce n'est pas Ian. Ses cheveux sont beaucoup trop courts. Ce n'est pas lui. Ce n'est pas mon amour.

Je m'affaisse sur un banc. De grands arbres m'entourent. Je tente de reprendre mon souffle. Je vois deux amoureux qui circulent sur la rue, au loin. Ils rigolent. Le garçon caresse le dos de sa douce. Ils s'aiment.

« Je t'aime comme un fou, Laura. »

« Quand j'aurai vingt-cinq et que tu en auras vingt, personne n'y prêtera plus attention. »

« [...] le plus merveilleux anniversaire de ta vie. »

« Rien ne me fera rater ce rendez-vous ! Rien. »

« J'en ai vu des beaux endroits, mais l'Alaska, Laura, c'est vraiment mon coin de paradis préféré... »

Je ne vois plus rien. Je n'entends plus rien. J'essaie juste de chasser les images de cet article. De cette dépêche sur Internet.

Ai-je dormi ?

Qui est cette femme assise à mes côtés ?

– Dis-moi seulement ton nom... J'aimerais t'aider...

C'est à moi qu'elle parle. Elle semble désespérée. Je dois réagir.

– Laura.

Je suis moi-même surprise d'entendre le son rauque qui sort de ma bouche. Je ne reconnais pas ma voix.

– J'aimerais te payer un café, Laura. Ou un jus peut-être ?

– Non. Merci.

– Tu voudrais bien me dire où tu habites ?

– Belmont. J'habite à Belmont.

Elle semble encore plus embêtée. Elle me regarde gentiment. Je sais qu'elle n'ose pas me toucher.

– Quel est ton nom de famille, ma belle ?

– St-Pierre.

Je commence à me lasser de ses questions. Je tente de me lever, mais elle me retient.

– Attends, attends. Reste avec moi.

Reste avec moi, Mitch. Ne pars pas. Pitié, attends-moi.

Mes larmes refont surface. Elles s'évacuent en silence. Je serai tout à toi. Je te le promets. Quand tu auras quatre-vingts ans, je n'en aurai que soixante-quinze… S'il te plaît, Mitch. S'il te plaît…

Je pleure de plus belle. Je sens une main se déposer sur mes cheveux. Je ne peux plus rien faire. Je ne peux plus résister. Je pose ma tête sur l'épaule de cette femme et elle flatte mes cheveux. Mes sanglots la secouent. Mes sanglots me secouent. Mon visage est tordu. Je n'entends plus rien. Sinon cette plainte qui sort de moi.

La dame parle encore, mais je l'entends de très loin.

– Où as-tu mal, Laura ?

Partout. J'ai mal partout. Je ne veux plus penser. Je ne veux plus qu'elle me parle. Je ne veux plus avoir mal. J'ai peur de sombrer. J'ai peur de moi. J'ai froid. Très froid.

Parfois, elle est là. Parfois, elle n'y est plus. Je ne sais pas qui est cette femme, mais elle revient toujours s'asseoir près de moi et flatte mes cheveux. Elle parlait avec un homme tantôt. Il s'est arrêté devant nous.

J'ai vu sa montre. Il était 22 h 15. Il avait un cellulaire à la main. Il a prononcé mon nom au téléphone. Laura St-Pierre.

La femme est toujours là, mais elle a enfin quitté mon banc. Elle est avec lui désormais. Je suis contente qu'elle me laisse tranquille. Ils sont en retrait. Je ne sais pas ce qu'ils attendent. Je ne les connais pas. Et je les oublie rapidement. Complètement.

J'essaie juste de me concentrer sur la terre noire qui salit mes souliers gris. À mon arrivée, il y avait de l'herbe à cet endroit. Je ne sais trop depuis combien de temps je gratte le sol avec la pointe de mes pieds. Je ne sais pas non plus pourquoi je grelotte. Le froid peut-être. Ou l'épuisement. Mon corps est vide et sec. Je n'ai plus de larmes en moi, même si mes hoquets résonnent encore parfois et me secouent. Mon visage a séché, mais l'inondation menace toujours. Je la sens gronder. Je ne veux que la réfréner. Je place toute mon énergie sur cet objectif précis. J'ai mal.

J'ai mal au cœur. Je m'excuse auprès de l'agent. Je ne voulais pas…

Deux grands hommes me soulèvent. Ma tête est entre leurs bras. Je vois les gyrophares. Un policier tenait une image de moi dans sa main.

Le moteur du véhicule est arrêté. Je déchiffre les lettres. Poste de police de Bradshaw. Il est là. Droit comme un chêne. Grand comme un saule. Je ne veux pas de lui…

La porte vitrée du gros édifice s'ouvre. Plusieurs personnes s'activent autour de moi. La salle où on me transporte est blanche. Le lit est froid.

– Ce n'est qu'un sédatif. Laissez-moi faire, Monsieur St-Pierre.

Je sens une piqûre sur mon bras. Des voix résonnent au loin. En plus de celle de mon père, je distingue celle de Bernard Johnson. Je ne reconnais pas les autres.

– Elle a un important choc nerveux. Il faut attendre. Vous êtes certain de ne pas vouloir appeler l'ambulance ?

Mon père dit non.

Johnson lui parle de Holly.

– Elle est déjà en route vers la maison, dit-il. Laissez votre véhicule ici. Je vous ramène chez nous, dit Johnson.

Mon cerveau s'embrume.

Mon père parle du journal sur la table du café. De cet article.

Je relève la tête faiblement.

– Mon sac…

– Je l'ai, Laura. J'ai ton sac, répond mon père en posant une main froide sur mon front bouillant. Détends-toi, ma grande. Tout est fini.

Tout est fini. Mitch. Tout est fini. Un sanglot remonte à la surface et m'étouffe pendant que leurs voix s'estompent. Je ne sais plus où je suis, mais mon corps se détend enfin. J'ai bien écouté mon père. Je sens la fatigue me gagner. Une immense fatigue. Je me sens sombrer. Je résiste un peu. Je ne résiste plus. Je sombre.

TROISIÈME PARTIE

Vendredi 6 mai, 5 h 10

En ouvrant les yeux, je reconnus immédiatement la chambre où j'avais déjà logé chez Bernard Johnson. L'anormalité du lieu alerta toutefois mes sens et la peur qui s'ensuivit ne mit pas de temps à trouver son explication. Le journal. L'hélico. Aucun survivant. Un photographe de presse. Mitch. NON.

J'avais ouvert les yeux depuis moins de trente secondes que déjà, ils s'inondaient et que les sanglots remontaient dans ma gorge. Je me repliai instinctivement en position fœtale pour me faire minuscule, pour me fondre dans ce matelas avec l'espoir d'y disparaître et de ne plus jamais ressentir la douleur qui m'assaillait de nouveau. Je la reconnaissais, désormais. Elle s'était pointée hier soir et je sentais qu'elle ne disparaîtrait jamais.

S'il était vrai que Ian Mitchell n'était plus de ce monde, je savais que ma douleur resterait prise dans mon ventre pour l'éternité. Mais c'était impossible. J'avais sûrement fait le pire cauchemar de ma vie. Où était-il ? Quelle date étions-nous ? Combien de temps devais-je encore l'attendre ?

Combien d'heures ? Où était mon portable ? Et s'il m'avait écrit pendant la nuit ?

Je me levai en panique, fouillant la garde-robe comme une furie. Rien. J'allais courir vers l'escalier pour monter à l'étage lorsqu'une apparition me fit sursauter et pousser un cri sourd.

Holly se tenait en pyjama sur le pas de ma chambre. Sa chambre. Son ex-chambre.

– N'aie pas peur, Laura, c'est moi… chuchota-t-elle.

Mon visage était encore ruisselant, mais le seul fait de la voir éveilla en moi les espoirs les plus fous. Je m'agitai.

– Holly, il me faut mon portable. Où est mon portable ? Je veux mon portable !

– Sois sans crainte, il est dans le sac que ton père a rapporté hier soir. Il est certainement en haut.

Je m'apprêtais à aller le chercher quand elle tenta de me retenir.

– Attends, Laura. S'il te plaît…

Sa petite voix, sa douceur, son amabilité m'interpellèrent, mais mon élan était plus fort.

– Je ne peux pas. J'ai peut-être un message important. Je reviens, dis-je en amorçant la montée de l'escalier, deux marches à la fois.

Dans l'obscurité du salon, je m'immobilisai et me sentis tout à coup déconcertée, consciente que tout le monde dormait dans cette maison et ne sachant absolument pas où chercher mon sac. C'est encore Holly qui mit une main sur mon épaule.

– Laura, tiens, prends le mien, chuchota-t-elle en me tendant son propre ordinateur portable.

Je le pris en vitesse avant de rebrousser chemin et de retourner au demi-sous-sol. J'en étais à rager devant ma page de courriels sans Ian quand elle surgit de nouveau, un verre de jus d'orange à la main, tendu vers moi.

Je le pris et le mis rapidement sur la table de chevet, histoire d'ouvrir cette fois ma page Facebook pour voir si là, il y serait… Il n'y était pas. Je ressentis de nouveau le vide terrible. Mon visage se crispa, ma tête retomba et un flot remonta encore une fois.

Holly s'était assise sur mon lit et mit tout simplement une main sur mon genou.

– Je sais ce qui s'est passé, Laura. Je sais. C'est horrible. J'imagine ce que tu ressens présentement. Tout cela doit être extrêmement douloureux, n'est-ce pas ?

– Je… je n'arrive pas… je n'arrive pas à y croire. Dis-moi que ce n'est pas vrai ! Dis-moi qu'il… qu'il va revenir, hein ? Je veux revoir Mitch, Holly. Ils se sont certainement trompés. Ça fait trop mal. Je veux le revoir. J'attends un message de lui. J'AI BESOIN DE LE REVOIR !

Tous mes mots se changeaient en une longue plainte. Ce n'est qu'au moment où elle remua délicatement ses doigts que je m'aperçus que je tenais son avant-bras très serré. Trop serré. Je vis la rougeur sur sa peau quand elle se dégagea enfin.

– Je comprends, Laura. Je comprends ta peine.

Ce n'est pas ce que je voulais entendre…

– Qu'est-ce que tu sais, au juste ? questionnai-je, à brûle-pourpoint.

– Je sais ce qui est arrivé à cet hélicoptère. Je sais ce que tu as lu dans le journal.

– Holly, il ne pouvait pas être dans cet appareil, hein ? Ils peuvent se tromper ! Ils peuvent se tromper ?

– Je ne crois pas qu'ils se trompent, malheureusement.

– Et s'il était vivant ? Et s'il était perdu dans le froid immense ? T'as vu un peu l'étendue du lieu ? Est-ce que quelqu'un le cherche ? Est-ce que quelqu'un s'occupe de lui ?

J'étais de nouveau en proie à une panique envahissante qui me fit me lever, marcher à côté de mon lit, m'asseoir, me relever. De nouveau, je ne savais plus où aller… Ni que faire…

Holly demeurait d'un calme absolu. Elle m'invita à revenir à mon lit et me tendit de nouveau le verre de jus d'orange.

– Viens près de moi, Laura. Viens… Tu n'es pas seule. Nous sommes tous avec toi.

Je m'exécutai et tentai de boire une gorgée, mais je ne pus que tremper mes lèvres dans le liquide froid avant de reprendre.

– C'est impossible. Pourquoi lui ? Pourquoi si jeune ? C'est impossible. Je ne peux pas y croire. Est-ce que tu y crois, toi ? Dis-moi que ce n'est pas vrai. Dis-le-moi, je t'en supplie.

Son silence m'anéantit et les larmes recommencèrent à m'envahir. S'il y avait eu une chance que toute cette histoire soit fausse, Holly aurait été la première à me rassurer.

– Tu crois qu'il est… qu'il est mort ? tentai-je, entre deux sanglots.

– Laura, nous avons téléphoné en Alaska cette nuit…

Mon cœur bondit de nouveau.

– Qui ça ? À qui ?

– Mon père a fait les démarches. Ton père a parlé avec les secouristes là-bas…

– Et ?

– Toutes les précautions ont été prises. Les recherches se faisaient sans relâche depuis mercredi. Ils ont retrouvé son corps hier, à 22 heures.

Le coup me frappa cruellement pour m'achever. Et je m'effondrai. Ma tête enfouie dans mon oreiller, je hurlais cette fois. De rage. De peine. De désespoir.

Holly était étendue à côté de moi et n'a jamais arrêté de caresser mon bras, puis ma tête, tout en me parlant avec douceur.

– Je te comprends. Pleure, ma belle, pleure.

Ce matin-là, avant même que le soleil ne soit levé, le temps s'échappa de mon existence. J'étais en chute libre. Je me sentais sombrer. Je sentais ma vie sombrer.

– Ça ne peut pas être vrai. Si c'est la vérité, je ne m'en remettrai jamais. Je veux Mitch, Holly. Je veux le connaître complètement, totalement. Je veux l'avoir près de moi. Je veux vivre ce que l'on s'était promis.

– Je sais. Je comprends, Laura.

Mais bien sûr que non. Elle ne pouvait pas comprendre. Personne ne pouvait comprendre un mal aussi puissant.

– Que… que vais-je devenir, Holly ?

Seul mon jumeau pourrait peut-être comprendre.

– Est-ce que Thomas est au courant ? m'enquis-je.

Ma voix était totalement éteinte. La sienne était remplie d'affection.

– Oui, Thomas est au courant. Il sera ici vers 11 h 30. Il prend l'autobus ce matin pour venir te rejoindre.

– Pourquoi ? Je ne retourne pas à la maison ? Est-ce que le procès continue ?

– Non. Nous avons appris hier soir que Didier Dunlop subirait une opération à cœur ouvert. Il en a pour quelques mois de convalescence… Le procès ne reprendra pas tout de suite.

Ce fut le seul baume dans le chaos de mes douleurs.

– Bien sûr que vous allez retourner à la maison, continuait Holly, mais ton frère tenait à faire le voyage avec toi. Tes parents sont d'accord. Ne t'en fais pas, nous allons tout organiser, Laura. Nous sommes tous avec toi et on ne te lâche pas. Tu peux t'appuyer sur nous.

– Où… Où est papa ?

Je ne sais pas comment elle pouvait parvenir à comprendre mes mots entre les sanglots qui entrecoupaient toutes mes phrases.

– Ton père est en haut, avec mes parents. Je les entends marcher. Ils sont réveillés maintenant. Tu veux que j'aille le chercher ?

– NON ! Pas lui !

– Pourquoi, Laura ? Dis-moi pourquoi tu ne veux pas voir ton père…

– C'est… C'est… C'est de sa faute ! Ian ne devait pas… Il ne devait pas y aller… Il a fait le voyage à cause de mon père…

Je savais que derrière toutes ces larmes, une rage couvait. Une rage qui m'étouffait, elle aussi. Tout était trop injuste. La vie était injuste. Pourquoi lui ? Pourquoi nous ?

Mes mots étaient durs. Holly ne s'en offusqua pas.

– Je voudrais te venir en aide, Laura. Tu auras besoin de parler au cours des prochains jours… Lorsque tu seras rendue chez toi, j'aimerais que tu rencontres un psychologue… Ça pourrait t'aider, j'en suis certaine.

Je n'avais pas le cœur aux mondanités. Mes yeux levés au ciel avaient transmis le message.

– Hier soir, j'ai parlé de toi à un psychiatre qui est mon meilleur professeur à l'université. C'est lui qui nous le réfère… C'est un homme bien. Il aide les personnes souffrantes. Et tu es très souffrante, Laura. Laisse-nous t'aider.

Je n'avais pas non plus le cœur à m'obstiner.

– Thomas s'en vient, c'est vrai ?

Mon jumeau était la seule véritable source de réconfort qui pouvait m'accompagner dans ce couloir noir. J'avais furieusement besoin de Thomas. Le seul fait de penser qu'il prenait l'autobus pour moi ce matin me rassurait un brin.

– Il s'en vient. Nous allons tous être là pour toi. Tu n'es pas seule. Nous comprenons ta peine…

Ton père aussi. Il est terrassé, d'ailleurs. Il sait bien que tu lui en veux.

– Ne me parle plus de lui, s'il te plaît…

– Comme tu veux…

Un autre silence avait envahi l'espace autour de nous. En moi. Un silence de mort. Je commençais à comprendre que lui aussi, il m'habiterait maintenant toute ma vie. Une vie dont je ne voulais plus, désormais.

C'est Holly qui brisa la brume ambiante.

– Laura, je sais que c'est très difficile, mais j'aimerais que tu essaies de me dire comment tu te sens maintenant…

Je ne me sentais plus.

– Peux-tu trouver un mot ? reprit-elle. Une phrase ? La première qui te vient à l'esprit. Une seule phrase.

Sa gentillesse, sa douceur, sa présence, je lui devais la vérité.

– Je ne veux plus vivre ça… Je ne veux plus vivre, Holly.

Vendredi 6 mai, 12 h 15

J'étais incapable de réagir. Incapable de réagir aux bras de Joyce, l'épouse de Bernard Johnson, que j'aimais tant. Encore moins à l'étreinte de mon père. Ceci dit, je n'avais pas non plus la force de le repousser. Encore moins de lutter contre lui. Je vivais la situation dans une indifférence complète, bras ballants pendant qu'on tentait de savoir que faire de moi. Je ne portais même plus attention à tous ces yeux braqués sur mon désarroi. Je crois que mon énergie s'était volatilisée à jamais la veille, dans le labyrinthe des rues de Bradshaw.

Cette soirée chargée de sentiments violents avait sans contredit été la plus cruelle de ma vie. Des sentiments noirs et douloureux semblaient s'être infiltrés par tous les pores de ma peau et je ne savais absolument plus comment les chasser, ni même comment les gérer. Pire, je comprenais petit à petit qu'ils resteraient enfouis là, en moi, et qu'ils me tueraient aussi.

Je savais que le jour de la... mort de Ian Mitchell était devenu un peu celui de ma propre mort. Je sentais que je ne retrouverais plus jamais la joie qui m'habitait avant les événements. Il y aurait une vie avant la mort de Ian, et un semblant de vie après. Et je savais que la deuxième était beaucoup trop souffrante pour qu'elle soit sérieusement envisageable.

C'est sur ce point précis que Holly m'avait longuement questionnée, peu avant mon départ de Bradshaw. Elle savait pertinemment que je ressentais un désespoir profond, mais que je ne l'avouerais jamais pour ne pas faire peur à mes proches, et pour ne pas qu'ils craignent pour mon avenir…

Elle avait tenté de me faire avouer l'inavouable, soulignant à plusieurs reprises que tout ce que je lui dirais resterait strictement entre elle et moi, mais ce n'est qu'à demi-mot que je lui révélai mes réels états d'âme. Holly avait toutefois aussi compris tous mes silences et avait insisté auprès de mon père pour que je consulte le fameux psychologue, un certain M. Murphy, qui pratiquait à proximité de Belmont.

Malgré ses doutes sur l'importance d'une thérapie professionnelle à cette étape-ci, mon père avait toutefois révisé sa position en observant mon abattement généralisé. Il constatait que ma souffrance allait bien au-delà de ses compétences parentales.

Il faut dire qu'au-delà des quelques « oui » et « non » que je lui servais en guise de réponses, je ne lui avais pas encore adressé une seule phrase complète. J'avais tenté de faire mieux à l'égard de Bernard Johnson, Joyce et Holly au moment de les quitter, mais les résultats avaient été pitoyables.

Emmurée dans ma peine, je me sentais désormais seule au monde. Jusqu'à ce que Thomas surgisse à mes côtés comme par miracle dans la demeure des Johnson.

Je ne lui avais presque rien dit, mais je savais qu'il savait. Sur le chemin du retour, c'est à mes côtés, sur la banquette arrière, qu'il s'était installé. Et c'est dans ses bras que je m'étais enfin assoupie.

Les nuits suivantes, par deux fois, j'étais retournée me réfugier à ses côtés en sanglotant. Chaque fois, il s'assoyait dans son lit, me faisait une place près de lui et me répétait inlassablement qu'il était là. Qu'il serait toujours là. C'est tout ce qu'il disait. Sa simple présence faisait le reste du travail.

Le lundi, mes parents avaient toutefois insisté pour qu'il retourne à l'école. Après avoir dormi avec ma chienne Joy, fait les cent pas dans ma chambre et consulté ma page de courriels des dizaines de fois, j'attendais le retour de mon frère comme si ma propre vie en dépendait. Et je crois qu'elle en dépendait.

Ce n'est qu'au bout de quelques jours interminables que je réalisai avec désolation qu'il étudiait en cachette, pendant mes moments de sommeil. Ceux-ci se faisaient d'ailleurs de plus en plus fréquents.

Toute la semaine, je m'étais réfugiée dans le sommeil autant que faire se peut, appréciant les heures de répit où, enfin, je cessais de penser aux yeux de Ian. À son sourire. À ses bras. À son torse. À son souffle. À nos promesses. À l'avenir que nous aurions pu avoir. À la célébration de mes 16 ans qui n'aurait jamais lieu.

Parfois, je me réveillais en sursaut et une peur panique m'assaillait. De plus en plus, j'avais la hantise de perdre le son de sa voix dans ma tête! Je cherchais son timbre, je cherchais les souvenirs et je m'agrippais solidement à eux de peur qu'ils ne s'estompent. La peur était désormais partout en moi et elle se propageait insidieusement autour de moi.

Papa avait peur que mon équilibre émotionnel ne soit chamboulé à jamais. Maman avait peur que mon état de santé ne se détériore. Mes parents alternaient leur présence dans la maison, négociant avec leur employeur respectif pour organiser leur horaire de manière à ne jamais me laisser seule.

Holly me téléphonait aux deux jours. J'aimais le son de sa voix bienveillante. Zoé venait me voir tous les soirs. J'essayais d'être réceptive, sans y parvenir. Pour contrer tous mes silences, mon amie me parlait de tout. De rien. De l'école. Des potins. Elle tentait de me faire sourire ici et là, mais je voyais, je lisais dans ses yeux que Zoé avait peur elle aussi. Une peur qui ressemblait à la mienne... La peur de me perdre.

Maman et elle faisaient front commun pour me communiquer, chaque jour, les différents courriels que je recevais, au-delà des appels téléphoniques de mes grands-parents. Des courriels en provenance des amis de mon école, des collègues de mon journal étudiant, du directeur Richard Dunn, et même de certains professeurs.

La nouvelle avait fait le tour des réseaux sociaux. Je reçus même un message du petit

Gabriel, de Vallée Station, que j'avais rencontré lors d'un certain hold-up dans une banque...[2] Un autre de la procureure de la Couronne, Rosa Rossi. Et un autre, surprenant, de celui qui avait perdu son grand amour deux ans plus tôt.

« [...] Je sais que tu ne me croiras pas, Laura, mais la vie vaut la peine d'être vécue quand même. Ta peine va finir par s'estomper suffisamment pour te laisser respirer un peu. Pour te laisser souffler normalement. Je sais que tu n'es pas en mesure de me croire pour le moment, mais je te jure que les choses vont s'améliorer peu à peu à l'intérieur de toi. Crois-moi. J'ai franchi toutes ces étapes et je ne pensais jamais pouvoir y survivre.

Tu vas toujours conserver ton amoureux dans ton cœur. Personne ne va te demander de l'oublier. Il sera là, bien au chaud dans ta mémoire. C'est comme ça qu'il demeurera dans ta vie, mais qu'il te laissera vivre... Crois-moi et accroche-toi. Si tu veux jaser, tu peux venir me voir au gymnase quand tu veux. Tu connais le chemin... Je serai là pour toi.

Amitié,

Kevin Summers »[3]

Enfin, cet autre, qui me renversa, signé Candide. La belle, que je n'avais revue que sur la fameuse

2. Voir le tome 2.

3. Voir le tome 1 : *Laura St-Pierre. Journaliste d'enquête.*

vidéo visionnée au palais de justice, me rappelait à quel point je l'avais aidée dans les événements qui avaient conduit aux accusations de Dunlop. Elle me transmettait ses pensées les plus douces et alignait les gentillesses à mon égard.

« [...] Je t'en dois une à jamais, Laura. Tu auras toujours une place particulière dans mon cœur et je sais que tous ceux qui ont la chance de te côtoyer ne veulent que ton bien, tout comme toi tu veux celui des autres. Écoute-les. Laisse-les prendre soin de toi en ces moments douloureux. Et surtout, ne leur démontre pas tes talents de comédienne... Ne cache pas ta peine. Tu as le droit de la vivre. Ne fuis pas. Je sais trop jusqu'où peuvent nous emmener nos idées noires, crois-moi [...] »

Gabriel. Me Rossi. Kevin. Candide. Tous ces événements me paraissaient si loin, désormais. Si lointains dans mon esprit embrumé. Comme s'il s'agissait des souvenirs d'une fille que j'avais connue un jour. Une fille qui n'était plus moi. Qui ne serait plus jamais moi.

Je comprenais que tous ces gens pouvaient avoir apprécié celle que j'avais été. Mais en mon for intérieur, je savais que personne ne se doutait à quel point j'avais changé.

C'est ce que j'avais dit au psychologue qui m'avait reçue deux fois, au fil de la semaine, dans son petit bureau beige. Deux séances qui m'avaient tout de même démontré que Holly avait eu raison d'insister. Jamais je n'aurais cru pouvoir me livrer comme je l'avais fait avec M. Murphy. Mais sa douceur, sa patience, sa bienveillance et ses paroles réconfortantes avaient eu raison de mes résistances. Lors de mes deux rendez-vous, il avait étiré la séance de 50 à 90 minutes, sans rien dire.

Il avait par ailleurs demandé à rencontrer mes parents, puis Thomas. Mon frère était resté plus longtemps que les autres dans le bureau. Même dans la brume qui assaillait mon esprit, j'avais remarqué qu'il était revenu à la maison plus calme qu'à son départ.

Je ressentais néanmoins avec toujours autant d'intensité le vide qui m'habitait. Je ne vivais plus désormais que pour un seul moment, qui arrivait enfin au bout d'une semaine qui avait été extrêmement rude. Tous les jours, je n'avais pensé qu'au week-end.

Les funérailles de Ian allaient avoir lieu ce dimanche, ce qui avait laissé le temps à la famille de faire revenir le… le corps. Le salon serait ouvert le samedi soir, dès 19 heures.

J'avais opté pour le salon, jugeant que les funérailles seraient trop pénibles, et ce, malgré les conseils de mon psychologue qui me suggérait fortement d'assister au processus complet.

Pour ma part, je mourais d'envie de revoir mon bel amour, mais une seule fois. Une dernière fois. Après quoi, je sentais que plus rien ne me retiendrait.

Samedi 14 mai, 19 h 30

Ce soir-là, j'avais revêtu un pantalon noir et la tunique gris anthracite que je portais lors de notre premier souper au restaurant. J'avais peigné mes cheveux de la même manière, ne serait-ce que symboliquement. Je crois même que j'espérais inconsciemment que Ian me retrouve intacte. Comme si les ravages des derniers jours n'avaient pas existé... Comme si on pouvait faire fi de mes yeux bouffis et des kilos que j'avais perdus au fil de la semaine, assez pour que mes vêtements semblent désormais trop grands pour la jeune fille chétive que je devenais.

J'avais insisté pour aller seule au salon funéraire. J'avais supplié mes proches de me laisser tranquille avec Ian pour la dernière fois. Nos négociations avaient eu pour résultat que seul Thomas m'accompagnerait. J'acceptai volontiers, sachant très bien que mon frère était le partenaire idéal pour ce type de situation et qu'il aurait le réflexe de se faire suffisamment discret pour que j'en arrive même à l'oublier.

Je ne m'attendais toutefois pas à devoir recourir à sa force au moment d'entrer dans ce lieu intimidant. Il fut lui-même surpris de sentir ma main s'accrocher à son bras en montant le grand escalier blanc qui dominait la bâtisse funéraire. Je m'arrêtai net en haut des marches et je bifurquai vers la gauche. Incapable de franchir la porte d'entrée. Même les exercices de respiration que ma mère m'avait enseignés la veille ne semblaient pas venir à bout de ma nervosité.

– Qu'y a-t-il ? Tu veux qu'on vire de bord ? me chuchota Thomas pour ne pas attirer l'attention vers nous.

– Non. Je veux juste reprendre mon souffle un peu…

En réalité, je tentais de reprendre mes esprits au complet. Et je me souvins du conseil de Candide de ne pas fuir et d'exprimer mon mal… De toute manière, les tremblements qui m'assaillaient trahissaient amplement mon état d'âme.

– J'ai peur, Thomas. J'ai peur de le voir… Peur de ne pas le reconnaître… Peur que les gens se demandent qui je suis… confiai-je à mon frère.

– Personne ne te connaît ici. Tu vas avoir l'air d'une amie, comme les autres…

Je savais que, dans les faits, seule la sœur de Ian, Caroline, était au courant de mon existence, sans toutefois m'avoir jamais vue.

– Écoute, reprit Thomas. On va changer de tactique. On va plutôt faire comme si Ian était un ami à moi et que tu m'accompagnais, ok ? Tu n'auras qu'à me suivre. Ce sera un petit bout à passer, mais Laura, il est très important que tu ailles le voir une dernière fois. Pierre Murphy est formel. Ça va t'aider.

– Je sais.

C'est en pensant au psychologue que j'acceptai l'idée de Thomas et que je parvins à le suivre à l'intérieur du salon funéraire. Le lieu était bondé.

Intimidée, je regardais la pointe de mes pieds en avançant au bras de mon frère. Au bout de quelques minutes, je me retrouvai au pied du cercueil, sans toutefois être capable de relever les yeux.

Pour masquer mon malaise, je m'agenouillai sur le marchepied et je fis semblant de prier. Jusqu'à ce que je prie réellement. Yeux solidement fermés, je demandais au Ciel qu'on me donne de la force. En me relevant doucement, je priais encore pour que l'on se soit trompé, pour que ce ne soit pas mon amoureux qui se retrouve dans le cercueil. Mais à la vue de Ian, immobile dans ses draps de satin blanc, mon cœur vacilla de nouveau.

Mon amour était pâle. Son visage trop poudré. Et on ne pouvait même pas voir le vert de ses yeux pour y retrouver une parcelle de soleil. Ses cheveux blonds étaient toutefois intacts, quoique trop bien peignés pour correspondre à la réalité. À travers mes larmes, je pris tout de même le temps de noter son visage serein. Puis son petit sourire, même si ses lèvres étaient beaucoup moins charnues qu'en vrai. Et sa très grande beauté.

Mes larmes ruisselaient en silence le long de mon visage hébété. Quand Thomas fit un petit mouvement de côté pour se retirer doucement, je demeurai là. Impuissante. J'étais incapable de dire à Ian un dernier au revoir. Un premier je t'aime.

Contre toute attente, c'est une main féminine que je sentis sur mon épaule. Dès que je vis les yeux verts de la femme châtaine qui se trouvait derrière moi, je compris de qui il s'agissait.

– Bonsoir Laura, risqua-t-elle.

La surprise de l'entendre prononcer mon prénom me secoua un peu. Juste assez pour que mes sens en éveil m'interdisent de me replier une fois de plus sur moi. Je pris la main qu'elle me tendait et je me risquai aussi.

– Caroline ?

Même sous la montagne de tristesse qui maquillait son visage, je reconnus le sourire familier.

– Est-ce qu'on peut se parler, deux petites minutes ?

Son invitation me laissa interdite. Je ne mis qu'un instant à repérer Thomas, assis sur un banc, me surveillant. Il me fit un petit geste discret pour me signaler qu'il demeurerait là. Qu'il m'attendrait.

– C'est mon frère, notai-je gauchement à l'endroit de Caroline.

– Tu veux lui dire un mot ?

– Non, je sais qu'il va m'attendre.

Je la suivis en silence, notant au passage que certains visages m'étaient familiers dans la foule qui était massée dans le salon. Je reconnus notamment Sandra Côté, journaliste au quotidien *La Nouvelle*, et je compris que l'espace devait être rempli par les anciens collègues de Ian...

Je marchais derrière Caroline comme une somnambule et fus soulagée de la voir se diriger vers un petit coin reculé qui ressemblait à un boudoir ou à un vestiaire, je ne sais trop, et qui semblait réservé aux proches.

Elle se prit une bouteille d'eau sur une petite table et m'en offrit une avant de prendre un siège et de me désigner la chaise à ses côtés. Je n'osais même pas prononcer un mot. Je la laissai parler.

– Ian avait raison. Tu es très jolie, Laura, hasarda-t-elle en cherchant visiblement ses mots.

– Merci, vous aussi…

Même si c'était la pure vérité, il fallait vraiment que je ne sache pas quoi dire. Je la fis au moins sourire. Et je tentai de lui dire quelque chose de plus intelligent.

– Je savais qu'il vous avait dit que j'existais, mais je suis surprise que vous puissiez me reconnaître.

Son visage s'éclaira un peu.

– Laura, tu peux me tutoyer, j'aimerais mieux… chuchota-t-elle.

Caroline devait avoir 26 ou 27 ans, quelques années de plus que Holly. Sa chevelure soyeuse et son regard franc me faisaient mal.

– J'espérais te voir… Et je n'aurais pas pu te manquer. Pas avec toutes les merveilleuses photos que mon frère a prises de toi, disait-elle.

Je ne savais absolument pas de quelles photos elle pouvait bien parler. La seule image qui me revenait en tête était celle du jour où j'avais rencontré Ian, quand mon petit frère Simon avait malencontreusement grimpé dans un arbre…[4]

---

4. Voir le tome 1.

Je ne me rendais pas compte non plus que mon visage s'était transformé en point d'interrogation.

– Je comprends que ça doit te paraître un peu incongru, cette rencontre, mais Ian se confie beaucoup à moi... Se confiait, reprit-elle plus fermement. Je sais aussi qu'il ne te les avait pas encore montrées, mais Laura, il avait créé un album de photos pour ton anniversaire.

– Un album ?

– Oui. Ce devait être une surprise... Il m'avait confié les photos et m'avait demandé de les faire relier en album. Laura, j'espérais te voir parce que je voudrais te l'offrir. Je ne l'ai pas apporté, tu comprendras que ce n'est pas vraiment le moment, mais demain, aux funérailles, je l'aurai dans ma voiture. Je veux vraiment te le remettre en mains propres après la cérémonie, quand tout sera terminé. Je sais que c'est précisément ce qu'il aurait souhaité.

J'étais saisie. Gelée sur place. Mais en voyant couler les larmes sur ses joues, je ne pus retenir plus longtemps les miennes. Toutes les deux, nous étions devenues silencieuses, respectueuses de la peine de l'autre. Un peu embarrassées, mais surtout totalement impuissantes.

Pour la première fois, c'est moi qui tentai un mouvement de réconfort en posant timidement ma main sur la sienne. Sa peau était aussi froide que la mienne. Je ne comprenais pas vraiment ce qui se passait là, mais instinctivement, je crus que c'était la chose à faire. En revanche, je ne savais absolument pas quoi lui dire.

C'est une dame qui, nous voyant, vint vers nous. Je sentis Caroline se ressaisir rapidement et se lever. J'en fis autant.

– Maman, je te présente Laura St-Pierre. Laura, ma mère…

La dame, à peine plus âgée que maman, était d'une élégance impeccable.

– Laura, souffla-t-elle, en écartant doucement une mèche de cheveux de mes yeux. J'aurais aimé te connaître dans un meilleur contexte. Ian voulait tellement qu'on te rencontre, mon mari et moi…

Il était clair que la dame savait elle aussi que j'existais. J'en étais bouche bée. Sa tendresse me surprit également. Debout devant cette femme, je ne savais comment agir, encore moins que dire, sinon la phrase maudite que m'avait conseillée ma mère :

– Mes sympathies, Madame Mitchell, laissai-je tomber en désespoir de cause.

– Mes sympathies à toi aussi, belle fille, ajouta-t-elle.

Je vis sur son visage l'effort qu'elle dut effectuer pour me sourire et je lui en fus reconnaissante. Je tentai autant que possible de lui rendre la pareille, mais à mon grand dam, les larmes avaient recommencé à couler sans avertissement.

La dame fit mine de rien.

– Est-ce que tu vas être des nôtres demain ?

– Oui.

Ma réponse était tombée sans que j'aie eu le temps d'y réfléchir plus à fond, mais devant la réaction de Caroline et celle de cette femme, il devenait évident que je ne pouvais pas me défiler.

– Très bien. On se revoit à l'église, Laura.

Quand la mère de Ian me quitta, je m'aperçus que Caroline n'était plus à mes côtés. La repérant, assise dans un coin en grande conversation avec un homme aux yeux cernés que je devinais être le père de mon amoureux, je profitai du moment où elle leva les yeux pour lui faire un petit salut de la main, qu'elle me retourna gentiment.

Thomas, lui, n'avait pas bougé. En me voyant revenir, il se leva, se dirigea vers moi et comprit que notre visite était terminée.

Nous avions entendu dire que parfois, chez les jumeaux, la douleur de l'un pouvait être ressentie avec intensité par l'autre. Je comprenais aujourd'hui que le phénomène était réel. Thomas transportait en lui une grande part de ma douleur. Et même si je me sentais totalement impuissante face à cette situation, je n'en ressentais pas moins une culpabilité profonde.

– Ne t'en fais pas pour moi, Thomas. Ça ira, lui dis-je en redescendant les marches de l'escalier extérieur.

Et dans un accord tacite, nous avons convenu tous les deux de nous en tenir à ce piètre mensonge.

Dimanche 15 mai, 11 heures

Thomas était encore une fois à mes côtés, le lendemain, sur le grand banc d'église qui m'avait secourue après notre entrée dans cette atmosphère chargée de tristesse.

Le lieu de culte était immense et les gens remplissaient la moitié des bancs longeant l'allée où le cercueil apparut, au loin. Mes épaules tressautèrent, comme celles de la majorité des gens regroupés au sein de cette église.

Je pris la décision de fermer les yeux, histoire de reprendre une fois de plus mes esprits et, dans cette obscurité intime, je priai de nouveau, avec cette impression que, cette fois-ci, mes appels à l'aide étaient en ligne directe avec le Ciel. J'en profitai pour réclamer la vie éternelle pour mon amoureux.

Quand le prêtre débuta son laïus, je me réfugiai dans ses paroles, sans qu'elles parviennent toutefois à m'apaiser. Il parlait de Ian. De mon Mitch. Avec des mots qui avaient pour but d'honorer la mémoire du « défunt » et qui avaient l'avantage de me faire découvrir à quel point mon premier amour était un homme bien.

Entre toutes les qualités qu'il énumérait, le prêtre insista sur son immense courage. Je fus d'ailleurs estomaquée de constater que même le prêtre, dos droit sur son autel, avait peine à retenir ses propres émotions au moment où il relata ses nombreuses rencontres avec Ian. J'avoue qu'il ne me serait pas venu à l'esprit que Mitch pouvait entretenir des liens si étroits avec un homme d'Église. Aussi surprenante soit-elle, cette perspective réchauffa mon cœur.

Je n'étais toutefois pas au bout de mon étonnement. Celui-ci s'amplifia lorsqu'un garçon d'une vingtaine d'années, lui aussi, alla se présenter au micro sous le prénom de Nicolas. Il nota au passage que Ian était son meilleur ami depuis la tendre enfance et qu'il avait parcouru avec lui toutes ses heures de souffrance...

– Quand je dis que j'ai grandi avec Mitch, je dis que j'ai grandi avec lui de toutes les façons. C'est avec lui que j'ai découvert la résistance. Que j'ai appris le mot résilience. Que j'ai mesuré l'ampleur de sa force intérieure. Toutes ces années passées dans les centres hospitaliers ont fait de Ian Mitchell l'homme qu'il était devenu. Un garçon profond. Le plus profond qu'il m'ait été donné de connaître jusqu'ici, disait-il.

J'avais rouvert les yeux. Grands. Tous mes sens étaient en éveil pendant que je découvrais comment on décrivait mon Mitch avec une tendresse qui me faisait vivre un autre amalgame d'émotions.

– Vous êtes plusieurs ici aujourd'hui à comprendre à quel point mes mots sont lourds de sens, reprenait Nicolas. Ian s'est tellement accroché à la vie... J'ai peine à croire qu'un garçon qui a célébré la vie comme il l'a fait puisse se retrouver aujourd'hui dans ce cercueil. Le destin me dépasse, laissa-t-il tomber avant de se retirer du micro un moment, histoire de contrôler le sanglot qui s'était soudain immiscé dans sa voix.

Je sentais que, dans ce lieu, ils étaient nombreux à saisir l'étendue des paroles de Nicolas et je réalisais du coup que Ian m'était encore inconnu de tellement de façons. Dans les paroles que j'entendais, mon amoureux était tout bonnement un être d'exception que j'apprenais à découvrir sous d'autres facettes que sa générosité, sa bienveillance, son humour et son intensité. C'est d'ailleurs sur le thème de l'intensité que Nicolas avait repris son discours.

– Ian avait choisi de capter sur son appareil-photo toutes les beautés, toutes les merveilles du monde. Et son œil était devenu expert pour dénicher, partout sur son passage, les moments de grâce qui pouvaient nous échapper à tous. Son œil était orienté vers des beautés qui pouvaient se présenter à nous sans que nous y portions attention, jusqu'au moment où, devant ses images, nous découvrions ce que lui y avait vu… Son talent était immense, pour la simple et unique raison que son appareil-photo semblait être connecté directement à son cœur. Son intensité était remarquable.

Il fit une nouvelle pause obligée, avant de reprendre.

– Je ne crois pas être en mesure de rencontrer de sitôt un ami qui puisse m'apprendre autant sur la vie et qui puisse me démontrer à quel point toutes les minutes doivent être chéries. Et si aujourd'hui mon cœur est meurtri de voir que la vie lui a été retirée si cruellement, après les luttes acharnées qu'il a menées pour la conserver, je remercie néanmoins le ciel de m'avoir permis de le rencontrer, de le côtoyer et de l'aimer pendant le temps qui m'aura été donné. Repose en paix, mon chum, conclut-il juste à temps, juste avant qu'un sanglot ne se fasse entendre au micro, pour rejoindre ceux qui lui faisaient écho dans l'église.

J'étais sous le choc en tentant de relier tous les morceaux du puzzle que représentaient tous ces mots qui, ici et là, me laissaient comprendre que Mitch avait eu une vie difficile. Que la vie semblait avoir essayé de lui faire faux bond plus tôt. Qu'il avait fréquenté non seulement les prêtres, mais les centres hospitaliers, et que je ne me trompais absolument pas en pensant que jamais plus, je ne retrouverais sur ma route un garçon de ce type.

Les questionnements fusaient néanmoins dans mon esprit. Pendant que tous les autres réprimaient leurs pleurs, je bûchais pour tenter de saisir qui était, au juste, ce garçon qui avait posé ses yeux verts sur moi. Qui était celui qui m'avait gratifiée d'un premier vrai baiser. Qui était ce photographe que j'avais eu la chance de croiser et pour lequel je me serais donnée tout entière. Qui était cet amoureux intense et fougueux avec lequel j'avais désiré au plus haut point poursuivre ma route. Et, surtout, quel était le parcours troublant qu'il avait connu jusqu'ici ?

Quand Thomas me signala qu'il était temps de se relever, je perçus dans l'œil de mon jumeau le même égarement que le mien. La même surprise. Les mêmes questionnements. Mais c'est en silence que nous avons suivi l'attroupement jusqu'au crématorium.

Mon amoureux avait choisi d'être transformé en poussière après sa vie sur Terre alors que ma propre vie se transformait en miettes humides, imbibées des larmes qui composeraient désormais mon destin. À ce moment, je sus que tout ce que je voulais maintenant, c'était devenir poussière moi aussi et me fondre avec lui dans une urne pour l'éternité.

Dimanche 15 mai, 12 h 45

Dans une salle communautaire à proximité de l'église, le petit goûter que Thomas et moi n'avions pas honoré rassemblait tous ces gens qui avaient eu le bonheur de connaître Mitch mieux que moi. À fréquence régulière, je tentai de voir où était Caroline, sans vouloir la déranger. Je la remarquai en compagnie de Nicolas.

Physiquement, l'ami de Ian était aussi mince que lui. Il avait des cheveux châtains, des yeux très bleus, un visage délicat et joli, presque juvénile. Je me mis néanmoins à trembler légèrement quand je m'aperçus que je les avais peut-être fixés plus que souhaité, et qu'ils se dirigeaient désormais tous les deux vers Thomas et moi. Je notai furtivement que Caroline avait l'album à la main.

Les salutations furent polies, quoique plutôt intimidantes. Je leur présentai mon frère et pris soin de souligner à quel point j'avais été émue des mots prononcés par Nicolas.

– C'est gentil, mais pour ma part, j'avais plutôt l'impression de ne pas avoir su trouver les phrases qui rendaient vraiment justice à Ian, nota-t-il.

Je savais que l'endroit n'était nullement adéquat et c'est en me faisant violence que je refoulai la longue liste de questions que j'aurais souhaité leur poser, mais tout de même, je ne pus m'empêcher de glisser une remarque.

– J'ai été très touchée. Ian me parlait du présent et de l'avenir, mais il ne m'avait encore jamais parlé de son passé.

– Oh, je vois… réagit Nicolas.

C'est Caroline qui intervint.

– Mon frère était très secret sur son passé. Il ne voulait pas que sa situation teinte la perception que les gens pouvaient avoir de lui. Mais Laura, il avait décidé de te parler dès son retour. Il me l'avait dit avec un enthousiasme qui m'avait surprise, d'ailleurs. Au-delà de toutes les belles paroles qu'il a dites sur toi, c'est cet élément qui m'a démontré à quel point il voulait s'investir avec toi. C'était nouveau de sa part… laissa-t-elle tomber.

Quand Caroline me remit l'album, je ne fus pas capable de le regarder devant eux. Consciente qu'ils connaissaient tous ces gens autour, je ne voulais pas non plus les retenir trop longtemps. Je ne pus toutefois pas m'empêcher de sortir un papier et un crayon de mon sac à main, d'y écrire mon numéro de téléphone à la maison et mon adresse courriel. Je tendis discrètement le bout de papier à Caroline en lui disant que le moment venu, j'aimerais avoir une dernière conversation avec elle.

Elle acquiesça.

– Ce sera un plaisir, Laura.

À ma surprise, en me tendant la main, Nicolas me tira délicatement vers lui pour poser un bec sur chacune de mes joues. Caroline fit de même, serra aussi la main de Thomas et nous remercia.

Ce n'est que dans le taxi du retour que mon frère hérita du dernier soubresaut de peine de cette journée éprouvante. En entrant chez nous, personne ne fut surpris de me voir me diriger à ma chambre, mon album sous mon bras. Allongée sur mon lit, je souhaitais dormir pour tout oublier, ne serait-ce qu'un moment, mais le sommeil ne vint pas immédiatement.

En bas, j'entendais les murmures. Thomas parlait à mes parents et je savais très bien qu'à son tour, il avait besoin de partager une parcelle de ce qu'il avait entendu à l'église. Il y avait tellement de paroles qui avaient été prononcées aujourd'hui que nous ne parvenions pas à déchiffrer encore complètement…

Lundi 16 mai, 1 h 45

En ouvrant les yeux, je savais qu'il faisait encore nuit et que je ferais une fois de plus un pénible épisode d'insomnie. Le cadran me donna raison : 1 h 45. C'est dire que je n'avais fermé l'œil que quelques heures, à peine.

Le trop-plein d'émotions de la veille avait anéanti mes dernières forces et c'est avec résignation que j'avais glissé sous mon oreiller l'album que Ian me réservait pour mon soir de fête. Pour mon seizième anniversaire. Mon année chanceuse, disait-il.

Ce seul souvenir raviva en moi le bouillon de douleur qui ne s'atténuait jamais longtemps. Un magma de douleur dense, qui finissait toujours par me couper le souffle. La nuit, toute seule, j'avais parfois l'impression qu'il arriverait à m'engloutir.

Minuit était passé, j'avais donc 16 ans. Sauf que désormais, je ne savais plus quoi en faire. J'accueillais mon anniversaire avec un mélange douteux d'amertume et de résignation. Je n'avais plus qu'un seul lien avec Ian et il avait été déposé précieusement sous mon oreiller.

Dans la noirceur de ma chambre et de ma vie, j'ouvris la petite lampe de lecture logée sur ma tête de lit qui dirigea un faisceau blanc autour de moi et j'attendis que mes yeux s'adaptent à la lumière ambiante avant de sortir mon cadeau. Sur la page couverture, il était inscrit: « La splendeur de la vie ». Je l'avais noté hier.

Je savais désormais qu'à l'intérieur se trouverait le type d'images que Nicolas avait évoqué la veille, aux funérailles. Je m'attendais à ce que, dans ces photos, je retrouve le regard de Ian résolument tourné vers la nature, et je trouvais délicat de sa part de vouloir me les partager ainsi, en toute complicité.

La couverture de l'album était rigide, constituée d'un épais carton rouge, à l'exception du titre écrit en caractères dorés. Sur la première page en papier, je découvris avec émoi sa propre écriture, que je ne connaissais pas puisque, jusqu'à présent, nous avions toujours communiqué par ordinateur... Son écriture était un peu enfantine, je dirais. Une observation qui m'attendrit bêtement. Il avait écrit: « Pour ma Laura ». Tout simplement.

Je tournai la première feuille avec difficulté et mes yeux s'agrandirent. En gros, je vis avec stupéfaction mon image apparaître. Pleine page. Je reconnus mes vêtements et devinai immédiatement le lieu. De toute évidence, il avait réussi à capter cette photo au premier jour de notre rencontre... Lorsque je m'étais malencontreusement retrouvée au pied du gigantesque arbre où mon frère Simon avait grimpé. C'était l'automne précédent. C'était le premier jour où j'avais croisé ses yeux verts.

Je ne pouvais dire à quel moment exactement cette photo avait été prise puisque mon visage occupait presque toute la place. Mais avec le sourire que j'esquissais, je compris rapidement que, ce jour-là, un seul moment avait pu être capté pour me présenter avec cet air joyeux, et c'était nécessairement lorsque Simon était enfin revenu parmi nous.

Comme tous les journalistes, cameramen et photographes de presse avaient été écartés du site protégé par les policiers, Ian avait nécessairement pris cette photo alors qu'il était derrière les barricades. C'est dire à quel point le zoom avec lequel il travaillait était puissant… Pas étonnant que, ce jour-là, j'aie eu l'impression qu'il tenait une arme à feu entre ses mains.

La curiosité était encore plus grande que ma peine et elle m'emporta cette fois. Je tournai la page pour voir, de nouveau, une autre image de moi. Sur celle-ci, j'étais assise sur un grand rouleau de métal qui nous avait servi de banc ce jour-là, ma mère et moi. Maman me fixait droit dans les yeux. Le regard que nous échangions toutes les deux… En une seconde, nous pouvions déceler sur nos visages le trouble qui nous tenaillait. La complicité, aussi. J'irais jusqu'à dire que dans cette image, l'amour qui pouvait résider entre ma mère et moi avait été capté furtivement, à notre insu. J'en étais bouche bée.

Je respirai profondément et tournai la page de nouveau, puis l'autre, et l'autre. Toutes représentaient un profil de moi qui parlait d'une manière inouïe. En un seul coup d'œil, Ian avait réussi à saisir exactement l'essence de chaque moment que j'avais vécu cette journée-là. L'inquiétude sur l'une, la tension sur l'autre, ou l'anxiété, la surprise, la timidité.

Il avait même capté le moment où on m'équipait d'un lourd accoutrement pour grimper dans la nacelle. Et encore, il avait figé sur sa pellicule cet instant furtif où un policier souriait en donnant une petite tape sur la palette de mon gros casque de sécurité… Il avait pris des photos de moi dans la nacelle, en grande conversation avec Simon, que l'on voyait toujours de loin. Par respect sans doute.

Même si l'événement en question avait été troublant au plus haut point de mon côté et que tous les visages que j'affichais ici dépeignaient des profils que je ne me reconnaissais pas, je devais avouer que je n'avais jamais vu d'aussi belles photos de moi. Pas tant pour ce que j'avais l'air, esthétiquement parlant, mais pour ce que je dégageais sur chaque image…

Ces photos étaient tellement évocatrices qu'au premier regard, il me semblait qu'on pouvait y lire le sentiment précis que je ressentais à l'instant où Ian avait appuyé sur sa gâchette. Tout cela était troublant. Fascinant. Ian était résolument un photographe hors de l'ordinaire.

Sur la dernière page, il n'y avait plus aucune image cette fois. Qu'une feuille de papier imprimée, collée au dos de la nouvelle page rigide.

« Pardonne-moi cette indiscrétion, Laura. Pour ma défense, je passe aux aveux… »

Mon cœur battait à tout rompre désormais dans l'obscurité de ma chambre. Au-delà de la mort, je ne m'attendais pas à ce que Ian puisse, une dernière fois, s'adresser à moi. Mon trouble était puissant. Profond. Étonnamment, sur le coup de toutes ces surprises, mes yeux étaient demeurés secs cette fois. Je baissai de nouveau courageusement mon regard pour prendre connaissance de ses derniers « aveux »…

« *Je ne savais pas encore, au moment de prendre ces photos, que tu venais en fait de capturer mon cœur sans t'en rendre compte, avait-il écrit. Quand je me suis mis à prendre des photos de toi d'une manière un peu… intense, je ne savais pas que je vivais alors les tout premiers symptômes… J'ignorais complètement, en cliquant ici et en cliquant là, qu'en réalité j'étais tout bonnement en train de tomber amoureux de toi. Je ne savais pas, ce jour-là, que toutes ces images que je percevais chez toi étaient, finalement, mes tout premiers émois. Je ne savais pas que cette obsession, ce jour-là, relevait de ma volonté de te scruter, de te découvrir, d'espérer te connaître jusqu'aux tréfonds de ton âme, de t'avoir un peu à moi, toute à moi. Sans m'en rendre compte, je crois que je tentais de te capturer et de conserver toutes ces images juste pour moi.*

Ne m'en veux pas d'avoir capté tous les moments que tu as vécus ce jour-là. Pour une raison que je ne comprenais pas alors, je ne pouvais tout simplement pas cesser de te regarder. Tout ce que je voulais, c'était graver ton visage. Je sais aujourd'hui que ce jour-là, je venais de découvrir la femme que j'aimais, et que j'aimerais toujours…

Joyeux anniversaire, ma Laura. Viens dans mes bras…

Mitch »

L'album m'avait littéralement éblouie. La dernière phrase me terrassa.

Mon amoureux avait tout prévu. Il avait imaginé que pour mon anniversaire, il serait à mes côtés à me regarder me regarder. Il avait cru qu'une fois la dernière ligne lue, je me serais blottie contre lui…

Le vide me parut encore plus immense. Plus cruel. Le silence dans la maison était insoutenable et rendait échos tous les sanglots qui déferlaient désormais.

Quand ma mère frappa discrètement à ma porte, je regardai ma montre qui indiquait 2 h 15 et je compris son inquiétude.

– Entre, lui indiquai-je entre deux hoquets.

Elle se glissa discrètement dans ma chambre. Au premier signe de ma part, elle s'installa à mes côtés, s'assoyant sur le bord de mon lit. Et c'est avec une certaine hésitation qu'elle prit l'album que je lui tendais.

– Mon cadeau d'anniversaire de Mitch, lui indiquai-je.

Je regardai les yeux de maman s'agrandir en tournant les pages une à une. Je détectai son trouble et sa fascination et je devinai ses pensées à la toute dernière page, avant de lui signaler que, oui, elle pouvait lire le mot de la fin. Quand elle releva ses yeux vers moi, elle pleurait elle aussi et je crachai enfin le morceau entre deux nouveaux sanglots.

– J'ai peur, maman. J'ai peur de ne plus être capable de vivre normalement avec toute cette douleur. J'ai peur… de ne plus vouloir vivre… J'ai l'impression de glisser dans un trou noir… Je voudrais ne plus exister. J'ai besoin d'aide.

Lundi 16 mai, 14 heures

Je crois que c'est le jour de mon seizième anniversaire que, pour la première fois, je lâchai prise complètement et que je m'en remis totalement aux gens qui m'aimaient. Ce jour-là, je cessai momentanément de lutter et acceptai le fait que je n'y arriverais jamais seule.

Avec toutes les idées noires que je trimbalais depuis des jours, je sentais que j'étais devenue dangereuse pour ma propre santé.

Je ne protestai pas quand maman téléphona au psychologue Pierre Murphy à 9 heures. Pas plus quand elle m'informa qu'il désirait me rencontrer ce jour-là, à 14 heures.

Fidèle à ses habitudes, l'homme m'accueillit d'une manière bienveillante et attendit que je lui parle en premier. Et je lui parlai. Comme je ne lui avais encore jamais parlé.

Je lui dis tout, au risque de le faire paniquer, craignais-je, mais je n'avais plus rien à perdre. Or, plus je parlais et plus, au contraire, je sentais une satisfaction de son côté. Ce qui me portait à lui parler encore plus, et plus encore. Tout y passa, incluant mes pensées les plus secrètes et les plus sombres, mes désirs les plus ardents, mes questionnements les plus importants.

– Il n'y a qu'une seule idée qui me raccroche à la vie présentement, lui disais-je, et c'est celle de découvrir qui était vraiment Ian. Avec tout ce que j'ai entendu à l'église, je suis obsédée par cette idée. C'est comme si je savais que je ne pourrai jamais lui dire adieu avant de le connaître plus à fond. J'ai l'impression que je n'avais pas découvert le tiers de ce qu'il était et je veux savoir à qui j'avais réellement affaire… J'ai besoin de savoir. Depuis les funérailles, je ne pense plus qu'à cela. J'ai failli appeler sa sœur Caroline au beau milieu de la nuit dernière. Ça a tout pris pour que je réussisse à me retenir… Vous voyez un peu le portrait ? J'ai l'impression d'être en train de devenir folle, Monsieur Murphy…

– Qu'est-ce que tu crois que ça t'apporterait, de savoir plus de détails sur la vie de Ian ?

– Je ne sais pas trop… La paix d'esprit, peut-être ? Sans toutes ces questions qui tourbillonnent sans cesse dans mon esprit, je pourrais peut-être parvenir à me concentrer un peu sur d'autres pensées… Je pourrais peut-être mieux accueillir le réconfort que les gens autour de moi essaient de m'offrir… Pour le moment, j'ai l'impression de les blesser à force de me refermer sur moi. Je sais qu'ils se sentent impuissants et je me sens coupable de ne pas être plus réceptive… J'en suis même rendue à éviter mon amie Zoé pour lui épargner ma présence pénible. Je sais aussi qu'il sera important que je parvienne à reprendre mes cours perdus…

– Comment t'es-tu organisée pour ta session scolaire ?

– Mes parents sont allés rencontrer la direction de mon école pour discuter du fait que j'aurais beaucoup de problèmes à assister à mes cours en ce moment. On leur a offert de me payer des cours de rattrapage privés avec un professeur qui sera disponible au début du mois de juin. En attendant, j'ai des manuels à lire et de l'étude à faire pour me préparer. Avec deux semaines de ces cours intensifs, il paraît que je devrais pouvoir sauver mon année et terminer ma quatrième secondaire presque en même temps que tout le monde…

Il bougea la tête dans un signe d'approbation, les yeux fixant le sol, pris dans ses propres réflexions. Le silence retomba entre nous, mais étonnamment, les silences ne me dérangeaient pas dans ce bureau.

– Qu'est-ce que vous en pensez ? Croyez-vous que je devrais contacter Caroline ?

Je lui posais parfois des questions du genre, sachant pourtant très bien que, comme il me l'avait indiqué, son travail consistait à m'écouter et non pas à me conseiller. C'est la raison pour laquelle je fus stupéfaite de l'entendre cette fois-ci me faire une suggestion.

– Si tu trouves délicat de joindre Caroline, tu pourrais peut-être d'abord t'informer auprès du prêtre qui a dit tous ces bons mots sur Ian à l'église, souffla-t-il. Je ne sais pas ce qu'il pourrait t'apprendre réellement, mais selon ce que j'ai entendu, il le connaissait plutôt bien.

Son idée me surprit de prime abord, puis me charma complètement. Ravivée par cette perspective, je crois que Pierre Murphy assista à mon tout premier sourire depuis... je ne sais absolument plus depuis quand. Il me retourna la politesse, ajoutant :

– Je sais que tu es dans un tourbillon d'émotions présentement, mais je peux te rassurer sur ton état de santé. Aujourd'hui, tu as dit beaucoup de choses très importantes sur lesquelles nous reviendrons au cours des prochaines rencontres. L'important pour l'instant, c'est que tu puisses verbaliser ce que tu ressens et, sur ce point, tu as déjà avancé à pas de géant, observa-t-il, tout sourire. Tu m'as raconté comment les policiers ont accompagné ton petit frère pour qu'il redescende de son arbre... Simon a été guidé, mais c'est lui qui a fait tous les pas pour redescendre, n'est-ce pas ?

– Hum, hum.

– Nous allons faire ensemble un processus semblable. Je sais que tu as toutes les ressources pour faire les pas un à un, dit-il. Certains seront plus difficiles que d'autres, mais nous allons y travailler tranquillement. Si je ne te croyais pas capable d'y arriver, je t'aurais déjà dirigée vers une autre ressource.

– Je n'arrête plus de pleurer et de ruminer. Honnêtement, je croyais que j'étais plus forte que cela...

– C'est parce que tu ne sais pas que la véritable force, c'est de ne pas nier sa douleur, c'est de pouvoir pleurer et d'être capable de demander de l'aide... La plus grande force, Laura, c'est d'être humaine et d'accepter ses failles.

– Pour le moment, je ne fais que penser à Ian. On dirait que je suis attirée par le passé. J'ai juste envie de m'isoler pour ressasser mes souvenirs avec lui. Combien de temps vais-je souffrir ainsi ? Vous croyez vraiment que je pourrai l'oublier complètement un jour ?

– Tu ne l'oublieras jamais. C'est une épreuve qui marquera ton parcours de vie. Je ne m'attends pas à ce que tu le rayes de ta mémoire. Tu vas le conserver avec toi, dans ton cœur, et tu vas cheminer avec son souvenir, dit-il.

Cette phrase, je l'avais lue dans le courriel de Kevin Summers.

– Oh, je connais une personne qui a dit sensiblement les mêmes choses que vous…

Il ne répondit que par un sourire.

– Parfois, Monsieur Murphy, j'ai la conviction que je ne serai plus jamais la même…

– Et tu as raison. Tu ne seras plus jamais la même. Tu seras encore plus forte. Il faudra être patiente avec toi. Pour le moment, je n'ai rien contre le fait que tu ailles chercher des réponses aux questions qui te taraudent depuis les funérailles, mais Laura, il faut que tu saches qu'il y a des questions auxquelles tu ne trouveras pas de réponse immédiatement. Les réponses viendront plus tard, au cours de ta vie.

Mardi 17 mai, 15 heures

Ma rencontre avec le psychologue, la veille, avait été assez libératrice pour me permettre d'apprécier un peu le souper d'anniversaire que mes parents avaient organisé en soirée. Mes grands-parents étaient venus de Vallée Station pour y assister et Zoé était évidemment des nôtres.

J'étais parvenue à me faire violence et à sourire aux présents que l'on m'avait offerts. Le plus beau cadeau m'avait toutefois été donné par un prêtre qui se nommait père Jude Auclair, comme je l'avais appris au fil de mes recherches.

Le peu d'expérience que j'avais en journalisme avait été suffisant pour me permettre de le retracer aisément, dès mon retour de la thérapie. Au téléphone, sa voix résonnait la bonté. Je fus surprise de son invitation à venir le rencontrer aujourd'hui, à 15 heures. Cette perspective avait d'ailleurs aussi contribué à minimiser ma douleur au cours de la soirée précédente, celle de mes 16 ans…

Mes parents, devenus plus protecteurs que jamais, avaient cette fois été d'accord pour que je rencontre le prêtre seule. Mon père était venu lui-même me mener au presbytère. Je fus surprise de l'entendre me dire de prendre tout le temps nécessaire. Qu'il m'attendrait dans la voiture.

C'est à peine si je lui avais dit deux phrases depuis notre retour de Bradshaw. Malgré ses efforts pour se rapprocher de moi, je demeurais farouchement en retrait, de peur que ma colère à son endroit ne m'envahisse. Je savais que si je lui parlais, j'éclaterais. En sortant du véhicule, je ne lui fis qu'un signe de la tête, mais je pris note intérieurement qu'il faudrait que je discute de cette situation avec M. Murphy.

C'est une toute petite dame sans sourire qui m'accueillit à l'entrée du presbytère et qui me conduisit dans un bureau tout beige, sans décoration, sinon de superbes moulures de bois qui encadraient les portes et les fenêtres et qui convenaient aux allures antiques de ces demeures majestueuses.

Discrètement, elle me fit signe de prendre l'un des deux sièges au long dossier qui se faisaient face devant une grande baie vitrée et m'informa qu'elle allait chercher immédiatement le père Auclair, avant de s'éclipser dans un long corridor à petits pas feutrés.

Dès qu'il mit un pied dans le bureau, je reconnus l'homme qui avait eu tant de bons mots à l'égard de Ian à l'église.

– Qu'est-ce que je peux faire pour toi, belle enfant? dit-il en s'asseyant péniblement dans le fauteuil en face du mien. Les amis de Ian Mitchell sont mes amis, enchaîna-t-il avec un sourire franc.

– Mon Père…

Non seulement j'étais intimidée et nerveuse, mais je ne savais pas comment l'appeler.

– Monsieur le curé… me repris-je.

Avant de réviser de nouveau ma position.

– Père Auclair…

– Tu peux m'appeler Jude, Laura.

C'était pire. La familiarité ne m'allait pas du tout, mais en continuant de le vouvoyer, je pourrais sans doute m'en tirer avec « Jude ».

– Père Jude…

Décidément. Je choisis néanmoins cette fois de poursuivre. Advienne que pourra.

– Je suis une amie de Ian Mitchell depuis l'automne dernier seulement. Je l'ai rencontré alors qu'il travaillait comme photographe de presse et nous nous sommes rapidement liés d'amitié. Mais il est parti en voyage dans le Grand Nord une première fois, puis nous avons été séparés par une longue absence de ma part une deuxième fois et, enfin, il est reparti dans le Grand Nord en février. De sorte qu'à toutes les fois que nous nous sommes vus, nous parlions du présent. Jamais du passé…

– Je vois.

– Dimanche, aux funérailles, j'ai beaucoup aimé ce que vous avez dit sur lui. J'ai senti que vous l'aimiez beaucoup, vous aussi…

Je ne savais plus quel chemin prendre pour ne pas paraître trop indiscrète.

– Je l'aimais beaucoup, effectivement, ajouta-t-il avec un regard bienveillant qui m'incita à poursuivre.

Je me jetai dans le vide.

– Nous sommes tombés amoureux.

J'avais dit cette phrase comme si je me retrouvais au confessionnal et que j'avouais mon péché le plus grave. J'en étais ridicule.

– Laura, je sais qui tu es… Je suis devenu, avec le temps, un ami de la famille Mitchell et j'ai vu Caroline pas plus tard que ce matin, pour régler certaines choses officielles. J'espère que tu ne m'en voudras pas, mais je lui ai dit que je devais te rencontrer aujourd'hui et je lui ai demandé si elle te connaissait. Ne te sens pas mal à l'aise. Pose toutes les questions que tu veux. Je répondrai au mieux de ma connaissance à toutes celles qui pourront t'éclairer.

Son sourire, sa bonté, je lui en étais déjà reconnaissante, mais à la simple évocation de la conversation qu'il avait eue avec Caroline, mes yeux s'embuèrent.

– Tu peux aussi pleurer à ta guise, dit-il.

Sur ces mots, il se leva et alla chercher une boîte de mouchoirs qu'il déposa sur la petite table à mes côtés.

– Merci, merci beaucoup… lui dis-je en cueillant non pas un, mais deux papiers mouchoirs.

Devant mon nouveau silence, c'est encore lui qui me facilita les choses.

– Pour ma part, je connaissais Ian depuis son baptême, dit-il avec un sourire sympathique. Sa famille est très croyante et, comme je les connaissais tous très bien, ses parents m'ont demandé de les accompagner quand la nouvelle du cancer de Ian est tombée.

Mon cœur ne fit qu'une seule vrille avant de s'emballer. Je ne pus cette fois réfréner ma question.

– Ian avait le cancer ?

– Il avait eu le cancer, rectifia-t-il. La leucémie, plus exactement.

– Je ne le savais pas…

– Notre ami était un peu secret sur cet aspect. Pour lui, c'était chose du passé et cette maladie avait tellement brimé son adolescence qu'il n'était pas question qu'elle teinte sa vie future. Et je le comprenais très bien.

– Il avait quel âge au moment des… événements ?

– Quand il a reçu son diagnostic, il n'avait que 15 ans et il a été longtemps obligé de demeurer dans une chambre stérile à l'hôpital. Ses traitements de chimiothérapie ont duré près de trois ans et on croyait tous qu'il s'en était sorti, mais il a eu une rechute à l'âge de 18 ans. Les médecins ont été obligés de lui faire une greffe de la moelle osseuse.

J'étais estomaquée.

– Était-il… en rémission ?

– Tout à fait. Ian a attendu cette fois avant de crier victoire, mais quelques mois avant ses vingt ans, les médecins lui avaient assuré qu'il était bel et bien sorti d'embarras et qu'il pouvait reprendre le cours de sa vie normalement. Il avait toutefois manqué l'école plus souvent qu'à son tour, et avait dû abandonner.

– Ah oui ? Cela m'étonne, il écrivait si bien…

Mes interventions me semblaient maladroites.

– Pour compenser, il dévorait des livres, repris le prêtre. Depuis l'âge de 15 ans, il lisait sans arrêt. Il lisait et il suivait des cours privés en photographie…

– Des cours privés ?

– Sa mère avait engagé un photographe professionnel qui lui a enseigné tous les rudiments à l'hôpital. Jusqu'à ses 18 ans, dès que sa condition le lui permettait, il prenait des photos partout. Il s'exerçait dans les couloirs, la boutique de cadeaux, les aires de repos, la cafétéria, sur les médecins, les infirmières, les autres patients, tous ceux qui lui en donnaient l'autorisation. Et ils étaient de plus en plus nombreux à accepter. Il suffisait de voir ses images pour comprendre à quel point il était doué… C'est d'ailleurs de cette manière qu'il s'est fait remarquer par un directeur de revue de plein air qui était hospitalisé.

– Il connaissait tellement de trucs sur tout, jamais je n'aurais pu imaginer qu'il avait dû quitter l'école, dis-je, troublée.

– Il était doté d'une grande intelligence… Une intelligence de l'esprit et du cœur, souffla-t-il.

– Vous l'aimiez beaucoup, n'est-ce pas ?

– Non seulement je l'aimais, mais je peux même dire que je l'admirais. Je l'ai suivi de près toutes ces années. Il m'a parlé de tous ses tourments, de ses souffrances aussi. Je l'ai guidé dans son cheminement et je peux te dire que Ian vivait les choses avec une sagesse très surprenante pour un jeune homme de son âge. Il possédait un courage impressionnant et démontrait une telle fureur de vivre. Il m'arrivait de croire que sa foi était plus grande que celle de plusieurs de mes propres confrères… chuchota-t-il sur le ton de la confidence.

Son sourire était toujours présent, mais il semblait désormais teinté d'une tristesse qui ne m'échappa pas.

– Je suis désolée, Père Jude. Je pose toujours trop de questions. Vous devez être éprouvé par son décès vous aussi…

– Je le suis. Je le suis, bien sûr, souffla-t-il, mais je suis assez vieux aujourd'hui pour savoir que lorsque l'on perd un être cher, il fait bon parler de lui. Tu n'as pas à être désolée, belle enfant. Ce n'est pas difficile de parler de ce cher Ian. Je peux te dire que c'était un être d'exception et qu'au moment où l'on se parle, je sais exactement où il se trouve. Il avait une très belle âme, ton amoureux… Et je sens que la tienne est très bien aussi.

Sa remarque me prit par surprise et c'est par la défensive que je réagis.

– Ces jours-ci, Père Jude, je crois que je n'entretiens pas des idées aussi belles que cela…

– Tu souffres beaucoup, je le devine bien. Es-tu un peu en colère aussi ?

– Oui, beaucoup. Je suis même en colère après… votre patron… notai-je dans un élan que j'aurais aimé retenir.

Mais la phrase était tombée. Le mal était fait.

– Il est vraiment difficile, parfois, de comprendre pourquoi les situations arrivent. Certaines peuvent paraître plus injustes que d'autres, je te l'accorde, mais il faut faire confiance, mon enfant.

Le cœur de Dieu est bien plus grand que le mien et le tien réunis…

– …

– Quand on souffre autant, on ressent une solitude immense, n'est-ce pas ?

– Effectivement…

– Et la solitude peut s'avérer très précieuse, poursuivait-il. Elle est porteuse de lumière, Laura. Tout comme les pires épreuves nous font inévitablement grandir et nous transforment intérieurement. Tu n'y échapperas pas, ma belle. Je sais que tout cela peut paraître invraisemblable pour le moment, mais les souffrances sont également une avenue de croissance, aussi pénibles soient-elles.

J'essayais de soutenir son regard tout en dissimulant mes doutes.

– La confiance sera ta meilleure défense. Le plus bel exemple de ce que je te dis est Ian lui-même. Il a grandi dans la souffrance et il n'a jamais cessé de faire confiance à la vie.

– Et elle lui a été retirée…

Mon entêtement était plus fort que le tact… Je ne me dompterais donc jamais ! Je détestais ce côté de moi.

– Je sais que tout cela peut te sembler incongru, mais je peux t'assurer que Ian a connu une belle vie, aussi courte soit-elle. Je peux même avancer qu'il aimait la vie et qu'il la chérissait plus que certaines personnes ne l'apprécieront jamais. La nature l'émerveillait, et les gens bien aussi… Il avait un sens de l'observation hors de l'ordinaire et il savait saisir rapidement les autres. Toutes ces années où il a été isolé et alité, il ne faisait que cela, observer les gens autour de lui. Fais confiance, Laura. Fais-toi confiance.

Je demeurai silencieuse un bref moment.

– Mon Père, est-ce que je peux me confesser ?

– Dis-moi tout.

– Je… J'ai… J'ai souhaité la mort de quelqu'un dernièrement… J'ai détesté quelqu'un à ce point… Je suis désolée…

– Dieu te pardonne, mon enfant.

– J'ai… J'ai peur d'avoir été punie.

Je me sentais nerveuse maintenant.

– La mort de Ian n'est pas une punition à ton endroit. Rassure-toi. Laisse-moi te bénir.

Je ne savais plus que dire, ni que faire. Mais sans que j'aie à ajouter quoi que ce soit, le père Jude se leva, me demanda de m'agenouiller, ce que je fis sans rechigner cette fois. Il posa sa main sur ma tête et demeura immobile. Je ne sais combien de temps. Sans qu'il ne prononce un seul mot.

Je ne compris pas d'ailleurs pourquoi mes sanglots jaillirent à ce moment précis et pourquoi, tout à coup, ils étaient si abondants… Sa main toujours posée sur ma tête, le prêtre attendit que les secousses diminuent graduellement, et cessent enfin. Jusqu'à ce que je m'apaise. C'est à ce moment qu'il effectua une petite prière à voix haute.

Quand je me relevai, j'avais sûrement les yeux rougis et bouffis, mais sans pouvoir me l'expliquer, je savais néanmoins que le moment avait été important. Lorsque vint le temps de se quitter, le père Jude déposa un baiser sur mon front et me gratifia d'un regard bienveillant.

– Tout va bien aller, Laura, dit-il.

Et je dois avouer que c'est dans un calme comme je n'en avais pas connu depuis longtemps que je regagnai la voiture de mon père. Je ne lui dis aucun mot pendant tout le trajet, mais je fis le vide en moi. Et je cessai de pleurer.

Jeudi 26 mai, 20 h 10

Au cours de la semaine suivante, j'avais retrouvé peu à peu le sommeil et un semblant d'appétit. Les mots du père Jude résonnaient de belle manière dans ma tête. Je ne pouvais savoir pourquoi, mais après cette rencontre, je ne me sentis plus tout à fait seule.

Il s'était tout de même passé neuf jours avant que je confie à Thomas le passé de Mitch, lui demandant toutefois de garder ces confidences pour lui.

– Sauf pour Zoé, bien sûr, ajoutai-je. Je lui dis tout, *anyway*.

Pour une raison qui m'échappait encore, je désirais protéger cette part d'intimité qui m'avait été dévoilée au sujet de mon amour. Par respect, peut-être, je ne sais trop. Pour le moment, mon frère et Zoé seraient les seuls à savoir.

Comme c'était dans notre habitude, Thomas et moi en discutions dans ma chambre.

– En fait, tu ne veux pas que j'en parle aux parents, si je comprends bien... dit-il.

– Tu comprends bien.

– Mais tout de même, Laura, il serait temps que tu recommences à leur faire un peu confiance, mentionna délicatement mon frère.

C'est incroyable à quel point ils se font du souci pour toi. Papa surtout.

Mais je ne mordis pas à son hameçon. Pas prête. Je choisis plutôt de faire dévier la conversation en abordant sa relation avec Zoé.

J'avais remarqué que Thomas et elle évitaient le plus possible de se retrouver ensemble devant moi. Je me doutais bien que cette façon de faire tenait à leur volonté de ne pas afficher leur amour sous mes yeux, pour ne pas raviver mes douleurs.

Quand Zoé venait à la maison, elle se dédiait complètement à moi et, autrement, c'est toujours Thomas qui se rendait chez elle. Leur délicatesse me touchait. Mais le moment était venu pour moi de mettre un terme à cet exercice injuste pour eux.

– Zoé t'aime beaucoup, tu le sais ?

Le sourire de Thomas me fit du bien.

– Je le sais.

– Et toi, qu'est-ce que tu ressens pour elle ?

C'était la première fois que j'abordais la question directement avec lui et je le sentis hésitant.

– Thomas, tu sais à quel point je vous aime, Zoé et toi. Cette relation que vous entretenez, vous y avez droit… Je suis heureuse de voir que mes deux grands complices puissent être heureux. La mort de Ian n'y change rien.

Je ne m'attendais pas à voir les yeux de mon jumeau s'embuer, ni à ce que son menton se mette à trembler.

– Thomas, qu'est-ce qu'il y a ? Parle-moi, s'il te plaît…

Il se ressaisit un peu.

– Moi aussi, je me réjouissais de te savoir heureuse. C'est très difficile ce que tu vis… murmura-t-il. Pour la première fois… Pour la première fois de ma vie, je ne sais pas comment t'aider…

– Tu es là, Thomas. Tu sais bien que c'est tout ce dont j'ai besoin. Tu es là comme tu l'as toujours été. Il n'y a rien d'autre à faire. C'est énorme, pour moi.

Mon frère ne semblait pas convaincu pour autant. Je savais qu'il cherchait encore un moyen de m'aider autrement, sans trouver.

– Et Zoé, repris-je rapidement, qu'est-ce qu'elle représente pour toi ?

– Oh, Zoé…

Un sourire se faufila à travers ses larmes. Mon amie faisait toujours cet effet.

– Zoé, reprit-il, c'est un rayon de soleil.

– Mais encore ?

J'entendais les paroles de Ian cette fois. Je me fis violence pour les chasser de ma tête à cet instant précis.

– C'est un amour…

– C'est *ton* amour… rectifiai-je.

Mon frère sembla étonné de mon audace.

– C'est mon amour… répéta-t-il un peu confus.

– Le lui as-tu dit ?

– Pas comme ça…

– Alors ne perds pas de temps, Thomas. On ne sait jamais ce que la vie nous réserve.

La phrase m'avait échappé. Nous en étions restés tout bêtement étonnés tous les deux, mais ni l'un ni l'autre ne la releva. Après avoir accusé le coup, Thomas me surprit à son tour.

– L'as-tu dit à Zoé, toi, que tu l'aimes ? dit-il en me toisant d'un air moqueur.

– Pas comme ça… répétai-je en lui renvoyant son sourire.

– Tu lui manques beaucoup, Laura. Elle a beaucoup pris les devants avec toi ces derniers temps… Je suis persuadé qu'avec un seul petit coup de fil de ta part ce soir, notre soleil éclairera la ville pendant toute la nuit.

L'idée me sourit également. Alors je m'exécutai.

– Bon… Eh bien… Tu pourrais décoller un peu, Thomas ? J'ai une amie à joindre…

Dès que mon frère quitta ma chambre, je sus que je devais m'activer pour ne pas retourner à mes pensées et je pris le combiné illico.

Quand elle entendit le son de ma voix, Zoé ne fit que prononcer :

– Laura, enfin…

Je sentais qu'elle était touchée à l'autre bout du fil. Alors je l'assommai.

– Zoé, je voulais savoir… Est-ce que tu sais combien je t'aime ?

Samedi 28 mai, 11 h 10

Je ne m'attendais pas à ce que deux jours plus tard, je me fasse assommer à mon tour.

Thomas était parti à ses cours d'équitation. Papa, maman et Simon étaient partis faire des courses. C'est dire que pour la première fois depuis la mort de Ian, tous semblaient avoir enfin réalisé qu'ils pouvaient poursuivre leur vie et que j'étais désormais en mesure de demeurer seule à la maison. Sans risque.

Et j'avoue que le fait d'avoir la maison à moi toute seule n'était pas désagréable du tout. Pendant que l'eau de mon bain coulait, je déambulais dans chaque pièce comme si je n'avais pas mis les pieds chez moi depuis des années. Les dernières semaines m'avaient totalement échappé dans cette maison... En fait, la planète m'avait échappé au grand complet.

La veille, j'avais réalisé avec stupeur que Thomas et Zoé préparaient déjà leurs examens de fin d'année alors que, de mon côté, le temps serait bientôt venu de reprendre le temps perdu. Mes cours de rattrapage débutaient le lundi 6 juin et je me sentais plus apte à les suivre maintenant. Au cours des derniers jours, j'étais même parvenue à lire les manuels que l'école m'avait prêtés pour m'avancer.

Zoé devait me téléphoner vers midi. En entendant la sonnerie du téléphone à 11 h 15, je souris à la pensée qu'encore une fois, elle avait devancé nos plans… Je pris tout de même le temps de fermer les robinets du bain avant de décrocher le combiné. Il s'en était fallu de peu pour que le répondeur ne se déclenche et c'est avec le souffle un peu court que je répondis. Ce n'était pas Zoé.

Je reconnus la voix au premier : « Bonjour, Laura… »

J'ai dû laisser passer plusieurs secondes avant de me ressaisir.

– Bonjour, Caroline.

– J'ai tardé un peu avant de te téléphoner. J'attendais de me sentir plus… solide.

– Je n'étais pas en état moi non plus… laissai-je tomber. Mais je suis très contente de cet appel. Je ne croyais pas…

– Tu croyais que j'avais oublié ?

– Oui… Non… Je ne sais pas… Mais je suis contente…

– Tant mieux, parce que je me demandais si tu étais libre cet après-midi ?

– Euh… Oui…

– Est-ce que je peux t'inviter à venir prendre un café chez moi ? Mon mari et ma fille sont partis chez mes beaux-parents. Nous pourrions jaser tranquilles, si tu trouves que c'est une bonne idée, bien sûr. Sens-toi bien à l'aise…

– Oh, j'aimerais beaucoup, lui lançai-je du tac au tac.

Mon cœur avait beau marteler solidement ma poitrine, l'idée de pouvoir parler de Ian m'apparut comme une chance inouïe. Comme si, après une éternité, j'allais le retrouver un peu... Le découvrir encore... J'avais tant de questions qui demeuraient coincées là, tout près de l'estomac.

J'étais encore sous le choc en notant son adresse, puis en raccrochant. Je commençais à chercher mon souffle en composant le numéro de Zoé.

– Moi qui me retenais à deux mains pour ne pas te téléphoner d'avance... annonça mon amie en décrochant le combiné, sans même le « allô » d'usage...

– Zoé, tu ne sais pas ce qui m'arrive !

J'étais soudainement dans un état qui valsait entre la panique et l'exaltation. Mon amie hésitait. Je la devançai.

– Caroline vient de m'inviter chez elle.

– Caroline...

– Caroline Mitchell, Zoé.

– Oh !

J'avais raconté à mon amie l'ensemble de ma conversation avec la sœur de Ian aux funérailles et elle partageait mon avis sur la délicatesse qu'elle avait eue à mon égard. Tout comme Thomas, Zoé avait été par ailleurs bouleversée d'apprendre que Mitch avait eu la leucémie, un combat qui l'avait privé d'une grande partie de sa jeunesse. Elle comprenait très bien mon intérêt d'en savoir plus sur lui désormais, mais je savais aussi que, comme les membres de ma famille, elle était ambivalente sur les bienfaits de ces informations sur mon moral.

– Tu as l'intention d'y aller ?

– Oui. J'ai besoin de savoir, Zoé.

– Aimerais-tu que je t'accompagne ?

– C'est vraiment gentil à toi, mais dans les circonstances, je crois que je préfère être seule…

– Je comprends… Où habite-t-elle ?

– Pas très loin, à une dizaine de kilomètres de chez moi.

– Et tes parents, qu'est-ce qu'ils en disent ?

– Ils sont partis faire des courses. Ils ne le savent pas encore…

– Laura, tu vas le leur dire, n'est-ce pas ?

Je savais que tous ne pensaient qu'à mon bien, mais le moment était venu de reprendre un peu de mon autonomie.

– Bien sûr que je vais le leur dire… lui répondis-je en même temps que je prenais ma décision. Je vais le leur dire… à mon retour. Promis.

– Oh, Laura…

* * *

Je savais que mes parents avaient l'idée de prendre le repas du midi à l'extérieur et qu'ils devaient revenir vers 15 heures. Cette fois-ci, je ne pris toutefois aucune chance et je quittai la maison à 13 heures pour m'assurer que personne ne s'oppose à ma démarche. De cette manière, j'évitais même Thomas qui revenait habituellement de sa randonnée à cheval vers 14 heures.

Le mot que je leur laissai sur la table était bref, mais il serait sans doute efficace :

« Ne vous inquiétez pas, surtout. J'avais simplement le goût d'aller voir un film au cinéma...

À bientôt.

Laura »

Par astuce, je n'inscrivis aucunement l'heure de mon départ, ni le titre du film en question, et surtout pas le moment de la représentation. De cette manière, ils ne pourraient pas trop prévoir quand ils devaient m'attendre et ils risquaient moins de s'inquiéter.

Tout comme eux, j'avais apprécié le fait que les derniers jours semblaient un peu moins lourds que les précédents pour moi. Je dus d'ailleurs reconnaître qu'après avoir été si dépendante de mon entourage, il faisait bon circuler seule dans les rues de Belmont.

Mon rendez-vous étant fixé à 15 heures, j'avais évité l'autobus et j'avais fait le trajet à pied en suivant minutieusement mon plan, imprimé à partir de *Google map*. Le logiciel indiquait qu'à la marche, la distance parcourue prendrait environ deux heures, mais je fis le trajet en 1 h 45. Je patientai donc les quinze minutes suivantes, assise tranquille dans un parc, non loin de la maison de Caroline. Je ne pus du coup m'empêcher de songer au dernier banc de parc que j'avais occupé à Bradshaw, et je mesurai qu'effectivement, il était peut-être vrai que le temps pouvait améliorer un peu les choses. Aussi petite soit l'amélioration...

Samedi 28 mai, 15 heures

Sur le pas de la porte, je sentis poindre dans mon ventre une douleur que je connaissais trop bien et que j'associais désormais au stress. Je soupirai silencieusement avant de me décider à sonner.

Ma nervosité s'estompa rapidement lorsque Caroline m'ouvrit sa porte et disparut complètement quand elle m'ouvrit son cœur.

La sœur de Ian avait ce même regard direct, sans faux-fuyant. Ce même aplomb. Cette assurance tranquille. Dès que je fus assise sur la causeuse du salon, un gros chat blanc et gris sauta sur mes genoux. Le matou était d'une douceur exquise, avait un regard beaucoup trop sérieux pour un félin, mais ronronnait néanmoins à qui mieux mieux.

– Émile, non… soupira Caroline.

– Laisse. Je crois que j'ai un don pour attirer les animaux, lui dis-je en souriant.

– C'est à tes risques et périls, Laura. Tu vas avoir des pantalons tout blancs en sortant d'ici… Je me sers un café, tu en veux un ?

– Je prendrais un verre d'eau, s'il te plaît.

En la regardant évoluer dans la cuisine adjacente au salon, je notai que les Mitchell avaient résolument été gâtés par la nature. Les cheveux châtains de Caroline donnaient un éclat distinct au vert de ses yeux et ses traits fins, combinés à une bouche bien dessinée, lui conféraient un charme différent de celui de Ian, mais tout aussi agréable.

Et tout comme lui, elle ne perdait pas de temps… Elle commença par s'informer de ma rencontre avec le père Auclair et fut ravie de constater que j'avais apprécié ma discussion avec lui, d'autant plus qu'il avait pris le temps de m'expliquer un peu le passé de son frère. Ce qui lui donna l'idée de me montrer certaines photographies de Ian à des moments différents de sa vie, chaque âge étant clairement indiqué au bas de l'image.

Il était vraiment troublant pour moi de découvrir le garçon de quatre ans qui riait aux éclats dans les bras de sa mère sur ce qui semblait être le banc d'une table de pique-nique. Puis, le garçon de neuf ans avec des yeux rieurs, le nez dans un immense cornet de crème glacée. Et ce jeune adolescent de treize ans qui semblait avoir des bras beaucoup trop longs pour lui.

Il était encore plus bouleversant de découvrir le jeune homme de quinze ans aux yeux plus anxieux, cette fois, entouré de ballons à l'hélium sur son lit d'hôpital. Enfin, celui de seize ans, coiffé d'une casquette noire alors que l'on voyait très bien qu'il n'avait plus aucun cheveu en dessous. Sa beauté et son sourire n'en étaient pas moins spectaculaires et je me surpris à mettre une main sur mon cœur, tout en maudissant les larmes qui menaçaient encore une fois de venir embrouiller mes yeux agrandis.

À mes côtés, Caroline avait gardé le silence jusque-là, mais devant ma réaction, elle devina mes pensées.

– Même sans cheveux il était très beau, n'est-ce pas ? laissa-t-elle tomber.

– À couper le souffle…

Ma remarque la fit sourire.

– Je sais. Il a toujours fait tourner bien des têtes, notre beau Ian. Mon frère était très populaire auprès des filles partout où il passait, même dans les hôpitaux. Je dirais même que certaines infirmières prenaient beaucoup plus de temps avec lui qu'avec d'autres patients…

Une pointe de jalousie jaillit instantanément en moi. C'était trop bête de ma part. J'avais refermé l'album. Caroline intervint tout de suite.

– C'est trop ? J'aurais dû y penser… dit-elle en reprenant l'album prestement. Je suis désolée, Laura. Je ne voulais pas te troubler avec ces photos.

– Non, non, excuse-moi, c'est mon erreur…

Ma réaction avait été déplacée, j'en étais confuse et voilà que j'avais éveillé une inquiétude chez Caroline qui croyait avoir été indélicate en me montrant ces photos. Elle était agitée maintenant. Je n'avais pas le choix. Aussi bien lui dire la vérité.

– Ce n'est rien. C'est moi… Je m'en veux… J'ai eu peur tout à coup de tomber sur des photos de Ian avec… d'autres filles, tu comprends ? C'est insensé, je le sais bien.

Caroline demeura stupéfaite.

– D'autres filles ?

– Oui, ses ex-petites copines, si tu veux…

Je ne pouvais pas croire que j'étais en train de lui dire cela. Je m'en voulais terriblement. Comme si cela pouvait avoir une quelconque importance ! Caroline s'était déjà levée en direction de la cuisine. Je craignis à ce moment-là de l'avoir offusquée.

– Un autre verre d'eau ? demanda-t-elle, comme si de rien n'était.

– Non, merci…

Par contre, j'aurais bien pris un trou pour m'y enterrer. Je me sentais totalement ridicule avec mes histoires de fillettes idiotes ! C'est néanmoins avec un air serein qu'elle revint vers moi, avec le verre d'eau que je lui avais refusé.

– Tiens, bois, tu vas en avoir besoin…

Elle souriait maintenant. Je bus une gorgée.

– Alors, dis-moi un peu… Qu'est-ce qu'il t'a dit, Ian, à propos de ses ex-petites copines ?

– Oh, rien… Je suis bête… Je n'aurais jamais dû dire cela, Caroline. Excuse-moi…

J'étais dans de beaux draps maintenant. Mais en tentant de me sortir du pétrin, ma nervosité augmenta et j'en rajoutai inutilement.

– Il était très… gentil et très convaincant… ton frère… repris-je courageusement. Il m'a dit à quelques reprises qu'il n'avait jamais vécu quelque chose comme cela… en parlant de nous… Mais juste à le voir, je savais bien que… que je n'étais pas la seule à avoir remarqué son charme… disons.

– Attends… intervint Caroline.

Elle sourit de nouveau et prit mes deux mains avant de me regarder droit dans les yeux.

– Laura, tu sais, avec sa maladie, Ian a passé pratiquement toute sa jeunesse dans les hôpitaux. En fait, avec tous les traitements qu'il a subis dans sa vie, il n'a pratiquement pas eu de jeunesse…

Son silence soudain ne fit qu'accroître mon malaise. Devais-je répondre quelque chose ?

– Ce que j'essaie de te dire, en fait, c'est que tu étais sa première, Laura.

Mon cœur fit un bond furieux.

– PARDON ?

Elle rigola de ma réaction. Ou de l'expression de mon visage, peut-être.

– Ian était complètement obnubilé par le magnétisme qu'il y avait entre vous deux. Il vivait toutes ces choses pour la première fois… lui aussi…

– Oh !…

J'avais chaud désormais. Je crois même que je rougissais. Elle n'en fit pas de cas et continua plutôt sur sa lancée.

– On s'amusait souvent à dire de Ian qu'il ne vivait pas dans son époque. Mon frère était… comment dire… Il avait une conception extrêmement romantique de l'amour. Nous avons tous essayé de le convaincre qu'il avait droit au bonheur, qu'il avait droit à l'amour comme tous les autres jeunes hommes de son âge, mais il restait campé sur ses positions. Longtemps, Ian a cru qu'il était condamné ou à risque de l'être.

Il écartait obstinément toute présence féminine dès le moment où il sentait que le cœur d'une fille pouvait s'emballer… Et cela est survenu plus d'une fois… Il se rabattait alors sur le travail comme un forcené.

Ma mâchoire s'était résolument décrochée.

– Ce n'est que cet automne qu'il avait enfin su qu'il n'y avait plus de danger pour lui. Qu'il pourrait enfin… ajoutait-elle maintenant. Tu étais sa première véritable rencontre. Son premier amour, Laura. Tu ne t'imagines même pas à quel point nous avions hâte de rencontrer la fille qui avait enfin fait craquer mon frère.

J'étais estomaquée. Je m'attendais à tout, sauf à cela. Et ça ne correspondait absolument pas à l'expérience que j'avais connue avec lui. J'osai.

– Caroline, si je me fie à ce que j'ai vécu avec lui, c'est pratiquement impossible… me risquai-je.

Il faisait bon la voir sourire.

– Pourquoi donc ?

Et voilà. Je me retrouvais en plein festival des malaises.

– Comment dire… Disons qu'il donnait vraiment l'impression de savoir exactement où il allait…

– Oh, mais je ne te dis pas qu'il n'en rêvait pas depuis longtemps. Ian vivait les choses avec tellement d'intensité… Je n'ai pas de misère à croire ce que tu me dis là et, pourtant, je peux t'assurer que tu étais sa toute première vraie flamme…

Le chat dormait maintenant paisiblement sur mes genoux. Je tentai de m'imprégner de son calme, mais mon cœur n'en faisait qu'à sa tête. Même la mort de mon amoureux ne pouvait pas l'arrêter de frémir pour lui.

– Le père Jude me disait que Ian était un être d'exception… Plus j'en sais sur lui et plus je découvre qu'il l'était encore davantage que je ne le soupçonnais… soufflai-je.

– Ian était mon frère et je l'aimais énormément. Je ne suis pas très objective en ce qui le concerne, mais son histoire avait fait de lui un garçon… Disons qu'il avait une profondeur qui n'est pas donnée à tous les gars de vingt ans.

Et je constatais à quel point il avait une sœur qui l'adorait. Le visage de Caroline s'était cependant assombri. Je voyais sa souffrance. Je compris du coup l'impuissance que l'on pouvait ressentir auprès d'une personne endeuillée.

– Tu traverses des moments très douloureux, Caroline. Le fait de me retrouver devant toi… Ça ne doit pas aider, n'est-ce pas ?

– Au contraire, j'avoue que ça me fait du bien de parler de lui… Les images de mon frère vont et viennent dans ma tête. J'essaie de savoir ce qu'il aurait aimé que je fasse pour lui dans telle ou telle circonstance…

– Je comprends.

– Aujourd'hui, tu vois, je suis certaine qu'il apprécierait le fait que je te rencontre. La plupart du temps, je sais ce qu'il aurait aimé… Par contre, il y a des fois où je ne sais absolument pas quoi faire.

Je sentais qu'elle tentait de me révéler encore une chose sur Ian. J'essayai de l'accompagner, un peu maladroitement.

– Aimerais-tu que l'on y réfléchisse à deux ?

Ce sourire, encore, il était résolument troublant. Mais Caroline appréciait de toute évidence le fait que je tente de l'aider.

– Tu sais comment Ian aimait prendre des photos et à quel point il aimait se retrouver en contact avec la nature…

– Oui…

– Bien… Comment dire ? Étant donné sa maladie, nous avons beaucoup parlé de la mort ensemble pendant sa jeunesse… Il était croyant, comme tu le sais maintenant. Il ne craignait vraiment plus la mort. Il l'avait envisagée trop souvent… Mais il cultivait un souhait. Un grand souhait. Il avait demandé à être incinéré, pour une raison…

De la voir troublée ainsi me donnait le vertige. Je la laissai continuer à son rythme.

– Ian voulait qu'une fois redevenu poussière, c'est ce qu'il disait… Il voulait que ses cendres soient retournées à la nature… Il voulait que sa dernière trace sur Terre se retrouve un jour dans l'un des plus beaux coins de paradis du globe… C'est ce qu'il disait… Mais voilà. Nous n'avons juste pas eu le temps de déterminer quel serait, pour lui, ce coin de paradis…

Instantanément, le dernier courriel de Mitch me revint en tête. « J'en ai vu des belles choses, mais l'Alaska, Laura, c'est vraiment mon coin de paradis préféré à ce jour... »

Mais quand je réalisai l'impossibilité de... je choisis de me taire.

Samedi 28 mai, 19 h 45

– Eh bien, je n'en reviens pas… réagit Zoé quand je lui racontai ma rencontre. Moi qui ai craint un moment que Ian puisse être le plus grand tombeur de Belmont… Tu m'en bouches un coin !

– Le « tombeur » de Belmont ?

– Ce n'est pas du tout ce que je croyais au début, balbutia-t-elle en prenant conscience de son erreur, mais quand je l'ai vu en personne, Laura…

– Et tu ne me l'as pas dit ?

– Je ne le pouvais plus ! Il était beaucoup trop tard ! Tu étais complètement subjuguée par lui et je savais très bien que, quoi que je dise, tes sentiments pour Ian ne pouvaient plus changer. J'ai préféré attendre de le connaître un peu plus avant de le juger…

Elle s'arrêta net avant de poursuivre sa phrase, que je devinai du genre : « Mais je n'en ai pas eu le temps… »

Je commençais tranquillement à m'habituer à voir les gens se tourmenter avec ce qu'il était bon de me dire ou non, et même si je les comprenais, j'avais hâte que les choses reviennent un peu à la normale.

J'étais toutefois rassurée de voir que les épisodes de gros sanglots semblaient avoir diminué passablement ces derniers jours, de mon côté, me donnant à penser que les larmes pourraient éventuellement finir par s'épuiser. À l'exception de cet après-midi…

Autant j'étais parvenue à refouler mes émotions chez Caroline, autant elles avaient éclaté à ma sortie, une fois que je me fus éloignée de sa maison. Je commençais à savoir reconnaître les pleurs que je ne pourrais plus arrêter avant qu'ils ne s'estompent d'eux-mêmes, et ceux que j'avais échappés cet après-midi m'avaient rapidement indiqué qu'il valait mieux pour moi faire un autre arrêt au parc avant de prendre l'autobus et de revenir à la maison.

Dès que je fus rentrée, mes yeux rougis n'échappèrent tout de même pas aux membres de ma famille et encore moins à Zoé. Pour les autres, il avait été aisé de mettre le tout sur le compte du film très triste que j'avais vu… Mais mon amie ne pouvait bien sûr pas y croire. Ou même faire semblant d'y croire.

En arrivant chez moi, j'avais été ravie de constater que mon message était passé et que Zoé était de retour à la maison avec Thomas, comme avant… Je dirais même que je l'avais secrètement souhaité puisque si Thomas était allé chez Zoé, je ne me serais pas permis d'appeler mon amie pour lui raconter mon épisode chez Caroline alors que là, elle avait elle-même pris les devants. Elle avait indiqué à mon frère que nous avions ABSOLUMENT besoin d'une petite heure, seule à seule. Loin d'en être offusqué, Thomas en avait profité plutôt pour disputer une partie de Xbox avec Simon et mon père.

– Toutes ces confidences de Caroline... Tu comptes les rapporter à tes parents ? me demanda-t-elle une fois le sujet épuisé et analysé.

– Pourquoi ils sauraient cela? Même si j'essayais de les convaincre que Ian était un gars honnête et sincère... À quoi bon maintenant ?

Zoé cherchait ses mots.

– Je ne sais pas, cela permettrait peut-être que tout soit clair entre vous et que l'ambiance redevienne un peu plus... normale ?

– Pourquoi ? Thomas s'est plaint ? C'est ça ?

– Thomas ne se plaint jamais vraiment... C'est juste que... Il craint qu'entre ton père et toi, ce ne soit plus jamais pareil. Il dit que quand tu es déçue par quelqu'un, tu peux très bien... le rayer de ta liste, mettons...

Thomas m'agaçait déjà ces derniers jours lorsqu'il me parlait de papa, je n'allais tout de même pas me faire sermonner par Zoé en plus ?

– Laissez-moi gérer ça, lui indiquai-je sur un ton qui signifiait clairement que le sujet était clos.

Un ton que je regrettais déjà.

Zoé aurait pu en profiter pour aller rejoindre Thomas, mais elle n'était pas le genre de fille qui se sauvait dès qu'un malentendu surgissait. J'en avais toujours eu un peu contre ces gens qui se positionnaient en victimes et fuyaient au premier prétexte. Mon amie n'était pas de ce type.

Je pris donc un ton plus doux pour la rassurer un peu.

– Écoute, je comprends très bien que je ne pourrai pas en vouloir à mon père toute ma vie, mais ma colère est très grande, Zoé. Si je lui parle maintenant, je sais que ce sera au-dessus de mes forces et que les mots vont sortir tout croche.

– Et ?

– Et…

– Tu crois que ton père n'est pas capable d'en prendre ? Tu veux le protéger, c'est ce que tu me dis ?

Autant elle pouvait être farfelue parfois, autant quand elle s'y mettait, elle savait aussi se montrer terriblement sérieuse… Confrontante, à la limite.

– Fais-moi confiance, je sais ce que je fais…

– Et ce-que-tu-sais-que-tu-fais, tu comptes le faire quand, au juste ?

Elle ne lâcherait pas le morceau facilement. Je pris donc les grands moyens.

– Dans un mois, six mois, un an, deux ans, je ne sais pas. Ça prendra le temps que ça prendra, affirmai-je, catégorique.

Cette fois, c'était vrai. Le sujet était bel et bien clos. Or, à cet instant, j'étais bien loin de me douter que le dossier allait être rouvert dès le lendemain matin…

Dimanche 29 mai, 10 h 25

À l'odeur, je sentis que maman avait concocté ses délicieux artichauts farcis. À l'oreille, je devinai que Thomas avait entrepris de diriger Simon qui tentait encore une fois d'enseigner quelques pirouettes à notre chienne… Et, signe que je lui en voulais toujours énormément, j'étais contente de me retrouver sans papa autour de nous en ce dimanche avant-midi ensoleillé. En me rendant à l'évier de la cuisine, je m'aperçus toutefois qu'il n'était pas très loin. Pas assez.

Mon père se trouvait sur le patio où il s'affairait à teindre un meuble, le plancher de bois rempli de papier journal pour éviter de répéter l'exploit de Thomas. Le printemps précédent, en voulant teindre sa selle d'équitation, mon frère avait effectivement parsemé le patio de gouttelettes brunes qui juraient avec la peinture sable que maman avait appliquée avec si grand soin un mois auparavant, une latte de bois à la fois…

J'aidais ma mère à essuyer les chaudrons quand je vis mon père entrer, l'air hagard, une page de journal à la main. De loin, je reconnus la notice nécrologique de Ian qui avait été publiée dans *La Nouvelle*, quelques jours avant les funérailles.

– Laura, hésita-t-il. As-tu vu cette notice ?

– Beeeen oui. Pas nécessaire de me la remettre sous le nez.

Tout. Je faisais tout pour le rendre mal à l'aise. Généralement, il n'en faisait même plus de cas, mais cette fois, planté là dans un coin de la cuisine, je dois avouer qu'il semblait hésitant, ce qui n'était vraiment pas son genre.

Je songeai à ma conversation avec Zoé et décidai de lui parler cette fois.

– C'est quoi le problème avec cette notice ?

Bon. La délicatesse n'était pas encore au point.

– Il est écrit, à la fin, que la famille apprécierait des dons à la Société nationale du cancer…

Je pris un très grand soin pour afficher une froideur qui me glaça moi-même.

– Oui… Et ? Le problème ? répétai-je.

– Bien… Habituellement, quand la famille prend soin de spécifier ce genre de chose, c'est que… la personne est décédée du cancer…

– Et ?

– Laura, je ne comprends pas. Tu comprends, toi ?

– Bien sûr.

Cette fois, il commençait à s'impatienter.

– Et ça te dirait de m'éclairer un peu ? dit-il avec un soupir bien senti, tentant de conserver son calme.

– Non.

– Laura, tu exagères, là ! intervint ma mère, en prenant la notice des mains de mon père et en l'examinant à son tour. Ton père t'a posé une question, et je me pose la même. Est-ce que Ian avait… le cancer ?

– Il *avait*, oui.

– Pardon ?

Ma mère avait visiblement pris le relais de mon père. C'est donc à elle que je m'adressai.

– Tu sais, le gars que papa a mis dehors d'ici ? Eh bien oui, il avait eu le cancer.

– Quoi ?

– Ian a été très, très malade pendant sa jeunesse…

C'est avec précision que je décortiquai à mes parents l'ensemble de la jeunesse de mon Mitch, n'épargnant absolument aucun détail sur son isolation au sein d'une chambre stérile, sur ses traitements en chimiothérapie, sa rémission, sa rechute, sa jeunesse manquée, ses lectures, ses cours de photographie, les visites du père Auclair et même sa volonté de se faire incinérer et de se retrouver un jour en cendres dans un coin de paradis tout à fait comme ce qu'il avait vu en Alaska, avais-je renchéri. Bref, je racontai d'un seul trait toutes ces années de combat pour enfin gagner la joute, avant de s'écraser bêtement à bord d'un hélicoptère au beau milieu d'un grand néant blanc.

Mon père ne parlait plus. Il était livide.

– Je ne savais pas, Laura, balbutia-t-il.

Oh, qu'il ne s'en sortirait pas de la sorte. Lui qui affichait une confiance à toute épreuve habituellement, je n'allais certainement pas laisser échapper la faille que je percevais chez lui. Je sentais d'ailleurs très bien que toute ma rage, contenue avec tant de force au cours des dernières semaines, était soudainement en train de se muter en vengeance…

– Oh. Tu ne savais pas… laissai-je tomber, avec une solide pointe d'ironie. Parce que si tu l'avais su…

– Laura, je regrette infiniment l'accident de Ian.

– Tu regrettes l'accident !

– Oui, quoi que tu en penses, je regrette sincèrement. Crois-tu vraiment que c'est ce que je souhaitais ?

– Et tes agissements ? Tu les regrettes eux aussi, tes agissements ?

Je lui en voulais tellement. Terriblement. Trop.

– Je ne pouvais pas savoir. Ian avait vingt ans, Laura. Tu n'en avais que quinze… Tu peux penser ce que tu veux, mais ça s'adonne que j'ai eu vingt ans, moi aussi… Je sais très bien comment peut se sentir un garçon de vingt ans…

– Oh, tu sais cela, toi !… Et dis-moi. À vingt ans, tu avais couché avec combien de filles, papa ?

Ma question le figea sur place.

– Laura ! intervint de nouveau maman qui semblait cette fois se changer en médiatrice.

– Quoi ? C'est une question qui ne se pose pas ? S'il a l'intention de me sermonner sur les habitudes de vie des garçons de vingt ans, il faudrait peut-être qu'il ait le courage de se dévoiler lui-même ! À moins qu'il en ait honte !

Ma mère avait cette fois les yeux exorbités, et humides.

– Trois ! coupa mon père, croyant sûrement mettre un terme à la discussion. Trois filles, Laura.

– Eh bien, tu vois ? Tu ne vaux pas mieux que les autres gars de vingt ans, comme tu dis… ET TU N'ARRIVES CERTAINEMENT PAS À LA CHEVILLE DE IAN !

Toute la rage, toute la peine qui se trouvait encore coincée à l'intérieur de moi était en train de s'échapper sous forme de fiel. Une invitation directe à un terrible duel.

– Mais qu'est-ce que tu en sais ? répliqua mon père du tac au tac.

– J'en sais que j'étais sa première, papa. SA PREMIÈRE ! Avec tout ce qu'il avait subi dans sa vie, Ian Mitchell n'a jamais eu de jeunesse. Il n'avait jamais voulu qu'une fille s'emballe alors qu'il se croyait CONDAMNÉ !

Ma voix tremblait maintenant. Un restant de sanglot m'étranglait, ce qui n'allait pas m'empêcher de poursuivre sur ma lancée.

– C'est Ian qui t'a dit cela ? tenta mon père une fois de plus.

– NON. C'est sa sœur Caroline ! C'est chez elle que je me trouvais hier après-midi. C'est elle qui m'a raconté le film le plus triste que j'aie entendu de ma vie…

Voilà. Je pleurais maintenant. Je pleurais et je fulminais. Et je poursuivais néanmoins…

– Non seulement tu… tu as essayé de me contrôler moi, mais tu… tu as gâché un moment important pour Mitch !

Mon père affichait un air totalement décontenancé. Il tenta une approche vers moi.

– Je voulais protéger ma fille… Je suis un père d'abord et avant tout. J'avais peur pour toi, Laura. Es-tu capable de comprendre cela ?

– Tu avais PEUR ?

L'émotion remonta de nouveau d'un seul jet, chassant les larmes pour trouver une porte de sortie. Je criai à tue-tête cette fois.

– Tu avais peur ? Et c'était plus fort que tout ? Plus fort que la confiance que tu plaçais en moi ? Il ne t'est jamais venu à l'esprit que je pouvais avoir une tête sur les épaules ?

– Laura… tenta d'intervenir ma mère.

Mais ma virulence n'en fut que plus attisée. Je hurlai !

– Quoi, ce n'est pas ce que tu voulais ? Ce n'est pas ce que vous vouliez tous ? Que je parle à mon cher père ? Il faut que je ravale et que je prenne des gants blancs, maintenant ? C'est ça ? Dans le fond, vous vouliez juste qu'il se sente mieux ? Moins coupable ? Ce n'est pas la vérité que vous vouliez ? Parce que si c'est la vérité, il faut qu'il sache qu'il est responsable de la mort de Ian !

– Laura, amorça mon père une fois de plus, dérouté.

Mais je ne lui laissai aucune place. Aucune.

– Mon chum n'aurait jamais quitté Belmont si ça n'avait pas été de toi ! Pourquoi il a accepté ce voyage selon toi ? HEIN ?

Cette fois, je le regardai droit dans les yeux. Jamais de ma vie, je n'avais ressenti une colère du genre.

– IL L'A FAIT POUR UNE SEULE RAISON ! Parce que TU nous avais INTERDIT DE NOUS VOIR ! Parce que TU voulais tout contrôler autour de toi pour pouvoir TE rassurer ! T'ES RASSURÉ MAINTENANT ? IAN NE REVIENDRA PLUS DANS TA MAISON ! PLUS JAMAIS ! CE N'EST PAS CE QUE TU VOULAIS ?

Ma rage s'étouffa de nouveau dans un sanglot qui s'empira quand je réalisai que Thomas et Simon se trouvaient dans le cadre de porte, totalement ahuris et impuissants.

Je fis alors l'inimaginable. Je murmurai l'impensable.

– Je te hais, papa.

Et j'en rajoutai encore en haussant le ton.

– JE TE HAIS !

Cette fois, je déversais toutes les larmes de mon corps désormais entièrement secoué de soubresauts. Je savais que je ne serais plus capable de prononcer un seul mot alors je quittai. Deux marches à la fois, je grimpai l'escalier jusqu'à l'étage, j'ouvris la porte de ma chambre, je la claquai de toutes mes forces, je m'effondrai sur mon lit et je pleurai jusqu'à ce que la source de mes larmes soit bel et bien tarie. Jusqu'à ce que l'épuisement se présente et que le sommeil vienne enfin me libérer.

Dimanche 29 mai, 16 h 45

Thomas devait être à l'affût puisque dès le moment où je posai un pied hors du lit, que je me rendis à la salle de bain et que je revins à ma chambre sur la pointe des pieds en refermant délicatement la porte, il cogna en me signalant sa présence à voix basse.

– Entre, soupirai-je.

Il se glissa dans la pièce comme un cambrioleur, l'œil inquiet, et se laissa tomber lourdement sur la chaise de mon bureau en me regardant comme on tente de détecter un ovni dans un ciel noir.

Habituée de le comprendre sans mots, je fus déstabilisée de constater que, pour la première fois, ce n'était pas le cas. Il tenta la première parole.

– Puisque tu es ma jumelle… Est-ce que cela veut dire que je suis moi aussi capable d'une telle colère ?

Je ne sais pas si c'est la nervosité ou si c'est cet air qu'il affichait et que je ne lui avais encore jamais vu, mais sa remarque me fit sourire… un peu.

– Probablement…

C'est tout ce que je trouvai à dire. Mais il demeurait tout à fait démonté de son côté.

– Ou pas… Je ne sais pas… dis-je en voulant le rassurer cette fois. Il faudrait qu'on arrête un jour de se regarder comme on se regarde dans un miroir, tu ne crois pas ?

Ma remarque le surprit, comme elle me surprit moi-même.

– Thomas… Comprends-tu un peu pourquoi je ne voulais pas lui parler, maintenant ?

– Mouais…

– T'es chargé de me ramener à de meilleurs sentiments, c'est ça ?

– Euh… non. Si tu parles des parents, ils sont enfermés eux aussi dans leur chambre depuis un très long moment…

– Oh.

– Comme tu dis…

Le silence devenait lourd, cette fois.

– Je pensais que ça vous ferait du bien de parler, papa et toi… Je crois que je me suis trompé… bredouilla-t-il.

Je ne savais pas quoi ajouter à cela.

– Qu'est-ce qu'on fait maintenant ? risqua-t-il à nouveau. Ça va ?

– Oui, oui. Ça va… murmurai-je.

– …

– C'était terrible, n'est-ce pas ?

Les yeux exorbités de Thomas constituèrent une réponse en soi.

– Un peu plus et Simon retournait grimper dans un arbre, ajouta-t-il.

Je ne pus m'empêcher de sourire à l'ironie de l'image qu'il évoquait.

– Thomas, je crois que Zoé est en train de déteindre sur toi…

Il sourit à son tour.

– Je sais.

– Où est-il maintenant ? repris-je.

– Qui ça ?

– Simon…

– Oh, sur le coup, il a disparu dans sa chambre lui aussi et, curieusement, il en est ressorti en nous annonçant que son amie Vicky l'invitait à souper ce soir…

– Oh non. Il se trouve chez elle maintenant ?

– Oui. Maman est allée le mener. Je suis resté avec papa…

Il avait mentionné son nom avec précaution. Je ne disais toujours rien.

– Laura… Je ne sais pas trop comment te dire ça…

– Dis-le comme ça sort.

– C'est papa… Je ne l'avais encore jamais vu comme ça…

– Qu'est-ce que tu veux dire ?

– Dès que maman est sortie avec Simon, je me suis retrouvé seul avec lui et j'ai tenté de lui parler un peu. Il était assis dans la cuisine à regarder un coin d'armoire depuis au moins dix minutes…

– …

– J'ai essayé de lui parler, donc… Et il m'a regardé… Tu sais comment il est toujours en contrôle de ses émotions ? Mais là, il avait l'air complètement perdu.

J'essayais d'imaginer la scène, mais mon cerveau refusait de collaborer.

– Bon. Qu'est-ce qu'il a dit, encore ?

– Il n'a rien dit, justement. Et il a éclaté devant moi…

– Quoi ? Il t'a engueulé ?

J'étais prête à reprendre les armes.

– Mais non, il a éclaté en sanglots ! Laura, je ne l'avais jamais vu pleurer, encore moins de cette manière-là…

– Tu me fais marcher.

– Pas du tout, je ne ferais jamais de blagues avec ça. Voir son père pleurer… C'est assez troublant, je peux te le dire. Je ne savais plus quoi faire, je te jure.

– Qu'est-ce qui s'est passé ?

– J'ai essayé de m'approcher un peu… Je me suis assis à côté de lui… Il s'est levé et il s'est dirigé tout droit à sa chambre. Je ne l'ai plus revu. Quand maman est revenue, elle m'a demandé où il était, je lui ai pointé la chambre, elle l'a rejoint et je ne l'ai plus revue elle non plus…

J'avais vraiment foutu le bordel dans la maison, cette fois.

– Monsieur Murphy nous avait avertis, mais Laura, je ne t'avais jamais vue dans un tel état. Ça fait peur…

Thomas tentait d'alléger un peu les choses, mais je savais qu'il disait la vérité.

– Il vous avait avisés de quoi, au juste ?

– Hein ?

– Monsieur Murphy, tu dis qu'il vous avait avisés…

Mon frère était hésitant, cette fois.

– Thomas, si tu ne parles pas, je risque de me mettre dans une colère terrible… dis-je en tentant de prendre un ton menaçant qui, je le savais trop bien, n'avait plus aucune crédibilité maintenant que je m'étais calmée.

– Ton psychologue nous avait avertis que tu portais une colère en toi… Il disait qu'il était important de te laisser t'exprimer…

– Oh… Me semblait, aussi, que papa avait encaissé les coups pas mal…

– Il est sonné, Laura. Je te jure.

– On dirait que je dois me sentir coupable… Thomas, je regrette, mais j'ai vraiment de la misère à avoir de la compassion pour lui…

– Je comprends…

– T'es sûr que tu comprends ?

Il fut sauvé par les trois petits coups frappés à la porte de ma chambre et je me trouvai vraiment, mais alors là vraiment soulagée de voir apparaître la bouille de Zoé. Une bouille bien embêtée.

– Excusez-moi, jumeaux chéris, mais je commençais à m'inquiéter… Personne ne répondait à la porte d'entrée en bas…

– Personne ?

Thomas et moi avions résolument repris notre habitude de répondre en même temps et sur la même intonation… Ce qui fit sourire notre intruse préférée. Mon frère et moi étions toutefois songeurs sur le fait que les parents n'avaient même pas daigné aller répondre à la porte d'entrée. C'était mauvais signe.

– Vas-y, toi ! lançai-je à Thomas.

– Non, non, non. Toi, vas-y.

– Arrête, tu sais bien que je ne peux pas !

– Ben moi non plus, imagine-toi donc !

– Oui, tu le peux...

– Peut-être, mais je ne le ferai pas !

Zoé nous regardait échanger nos demi-mots comme on regarde une joute de ping-pong.

– Ok, ben moi, j'y vais ! déclara-t-elle tout de go en se levant devant nous.

– Euh, tu vas où, au juste ?

J'avoue que la question de Thomas était pertinente.

– Ben... Je ne sais pas, j'attends que vous me disiez où ! Vous avez l'air mal pris... Je veux juste aider, moi !

C'est avec un large sourire, presque un fou rire que Thomas et moi nous nous regardâmes, devant mon amie interloquée, en attente de sa mission. L'effet Zoé venait de frapper encore une fois.

N'empêche que ce soir-là, c'est elle qui nous sortit de l'embarras en nous proposant son nouveau « plan de match ». À 18 h 30, comme nous avions sérieusement faim et que nous n'entendions encore aucun son en provenance du rez-de-chaussée, nous sommes donc descendus tous les trois pour mettre la table et placer au four les artichauts farcis déjà préparés.

Nous avons laissé faire Zoé quand elle choisit de mettre trois chandeliers sur la grande nappe bleue et, sourire en coin, nous l'avons aussi laissé faire quand elle prit une serviette de table blanche et qu'elle en concocta un « drapeau blanc » qu'elle plaça juste devant l'assiette de mon père.

– Voilà, tout est clair maintenant... jugea-t-elle en reculant de quelques pas pour apprécier son œuvre. Tu peux aller les chercher maintenant, indiqua-t-elle à Thomas, qui s'exécuta cette fois sans broncher.

C'est ainsi que mes parents sortirent enfin de leur refuge. J'avoue que Zoé et moi avons été surprises en constatant les yeux bouffis de mon père. Seule ma mère esquissa un léger sourire devant notre initiative.

Je fis le service en silence, tous étant invités par Zoé à prendre place, avec une attention toute particulière pour mon père...

– Monsieur St-Pierre, lui souffla-t-elle.

Zoé lui indiqua sa chaise devant laquelle trônait le chiffon blanc en forme de drapeau.

– J'ai parlé à l'ennemie, lui dit-elle en appuyant ses mots sur le ton de la conspiration. Vous pouvez manger tranquille, elle a accepté la trêve et a rangé les armes.

Cette phrase-là ne figurait pas dans son plan de match. Encore moins le toast qu'elle porta en levant son verre de jus de pommes bien haut.

– À la paix dans le monde, déclara-t-elle avec grand sérieux, nous laissant tous un peu pantois.

Vendredi 17 juin, 15 h 45

Zoé avait conçu un bon plan de match, ce soir-là. Après le souper de trêve, la routine reprit normalement à la maison. Dire que le malaise entre mon père et moi était complètement dissipé serait toutefois nettement exagéré. Chaque jour, il rôdait autour de nous.

Nous avions retrouvé un semblant de communication polie, je dirais, mais sans plus. Même ma mère avait vraisemblablement quitté son poste de médiatrice, nous laissant nous débrouiller à notre rythme, qui était très lent.

Plus j'en parlais avec M. Murphy et plus le psychologue parvenait à me faire revenir à des sentiments plus humains à l'égard de mon paternel. Rien toutefois pour me convaincre d'engager de nouveau la conversation avec lui sur les démêlés qui nous opposaient encore.

Ce fut donc avec un réel soulagement que j'avais retrouvé mon école le lundi 6 juin, premier jour de mes cours de rattrapage. Je m'y étais consacrée d'ailleurs totalement pendant les deux semaines suivantes qui n'avaient pas été de tout repos. On m'avait avisée que je devrais mettre les bouchées doubles pour parvenir à tout assimiler la matière et j'avais trimé dur. M'occuper ainsi le cerveau m'avait tout de même fait grand bien et m'avait même évité de ressasser ma peine en vain.

Je savais qu'il faudrait un tour de force de ma part pour parvenir à passer ma quatrième secondaire. Or, il n'était absolument pas question que je rate ma chance et que je me retrouve avec les jeunes de l'année précédente pendant que Thomas, Zoé et tous mes amis célébreraient de leur côté leur bal des finissants l'an prochain…

En pensée, je m'étais raccrochée solidement à la perspective de me retrouver éventuellement dans la salle de rédaction du *Métropolitain* ! D'autant plus qu'outre ma famille et Zoé, rien ne me retenait plus vraiment à Belmont désormais.

Les jours où j'avais mis une croix sur le soleil bienfaisant du début de l'été pour assister à mes cours ou pour m'enfermer dans les études, maman m'avait encouragée comme ma plus fidèle alliée et papa m'avait regardée aller de loin.

La veille, Zoé et Thomas avaient terminé leur ultime série d'examens… Ce matin, c'était à mon tour d'affronter la dernière journée de mon école intensive. J'arrivais enfin en bout de ligne et j'avais abordé mes trois propres derniers examens avec une énergie renouvelée.

En revenant à la maison, pour la première fois depuis la mort de Ian, j'étais réellement excitée à la perspective de retrouver les miens et de prendre enfin de vraies vacances. Jusqu'à mon entrée en stage le 4 juillet, du moins.

Le fait de retrouver la maison vide me désola. Sur la table, une petite note m'acheva.

«Laura, ne t'inquiète pas, nous sommes partis aux glissades d'eau. Tu as un morceau de pâté au poulet et des salades froides dans le frigo. Ne nous attends pas avant le milieu de la soirée et, s'il te plaît, serais-tu gentille de prendre ma dernière brassée de vêtements dans la laveuse et de l'étendre sur la corde à linge dès que tu rentreras pour qu'elle ait le temps de sécher? Je n'avais vraiment pas le temps de le faire. Il faudrait d'ailleurs la rentrer vers 19 h... Merci, ma belle, tu es un ange... J'espère que ta journée d'examens s'est bien déroulée... À plus tard!

Maman xxx»

Je déposai mes sacs dans un coin de la cuisine et me dirigeai tout droit vers la causeuse du salon où je m'effondrai. Je savais très bien que ces dernières semaines n'avaient pas été des plus reluisantes de ma part sur le plan de mes relations personnelles. Graduellement, j'en avais même développé un véritable sentiment de culpabilité.

Ils n'en disaient rien, mais je savais très bien que mon humeur avait été dévastatrice pour les gens qui m'entouraient. Et pourtant, ils étaient demeurés bienveillants et délicats avec moi sans broncher. Ils avaient fait preuve d'une patience exemplaire. J'aurais dû faire plus attention à eux... J'aurais dû cesser de me concentrer sur ma peine et me montrer davantage à leur écoute. J'aurais pu, tout de même, mieux accueillir leurs encouragements et leurs tentatives répétées de me faire du bien. J'aurais dû.

Aujourd'hui, me disais-je, il n'était pas surprenant qu'ils pensent un peu à eux… Je ne pouvais tout de même pas leur en vouloir. En mon for intérieur, j'en arrivais même à considérer qu'ils devaient être beaucoup plus joyeux et beaucoup plus libres de s'amuser sans moi, qui suivais toujours comme un poids lourd de tristesse sur deux pattes. J'aurais dû faire attention à eux. J'aurais dû.

Après dix minutes de ruminement intensif, affalée comme une épave sur la causeuse du salon, j'entrepris donc de me secouer et de procéder au moins à la demande de ma mère… En me traînant les pieds, je descendis au sous-sol pour y joindre la fichue salle de lavage et je cherchai, à tâtons, le fichu interrupteur pour chasser cette fichue obscurité ambiante. Or, à la seconde où la lumière fut, mon cœur manqua un battement.

– Bonnes vacances !

Leur cri strident me frappa de plein fouet, me fit reculer de trois pas et contribua probablement à retirer toute couleur de mon visage avant que, peu à peu, je retrouve un semblant de respiration.

Simon était assis sur la laveuse, Thomas et Zoé se retrouvaient à l'étroit sur la sécheuse alors que ma mère, et mon père apparaissaient droit devant, souriants, les bras écartés de manière théâtrale en forme de « TADAM ! ».

Tous avaient été éblouis par la lumière soudaine, mais chacun présentait de petits yeux rieurs. Visiblement, ils étaient drôlement fiers de leur coup !

J'aurais souhaité leur retourner enfin une mine réjouie, un sourire ravi, quelque chose de joyeux, à défaut de quoi mon menton se mit plutôt à trembler... Oh, non... Je n'allais pas encore pleurer... Et voilà ! Je pleurais. Misère !

– Merci... C'est... C'est gentil... dis-je en balbutiant gauchement avant de me justifier sans arrêt. Ce n'est pas de la peine, je vous assure... C'est la surprise... Je croyais que... Je me disais que j'aurais dû... Vous êtes fous, finis-je par laisser tomber avec un sourire qui se pointa enfin.

Je ne me souvenais pas avoir apprécié autant la présence de mes proches depuis des lunes. Depuis le grand froid en provenance de l'Alaska. Et cette fois, je parvins enfin à déguster ce qui se passait autour de moi.

Je regardais avec affection Thomas et Zoé s'asticoter sans arrêt. J'observais avec un certain émoi à quel point Simon était redevenu le petit garçon enjoué qu'il avait été. Je constatais avec reconnaissance à quel point ma mère avait pensé à tous les détails, allant jusqu'à nous offrir les services d'un traiteur.

Tout était délicieux parmi les plats qui circulaient autour de notre table de patio élégamment décorée pour simuler un jour de fête. Et je me rendis compte plus que jamais à quel point j'étais chanceuse de les avoir tous autour de moi. Même mon père qui, allant visiblement à l'encontre de sa nature plus sérieuse et réservée, jouait cette fois les festifs pour suivre son groupe...

Pour la première fois depuis le mois de février, je lui esquissai quelques sourires qu'il me renvoya. Et pour la première fois, je sentis que je m'étais ennuyée de lui. Disons que je n'aurais pas cru la chose possible il y a peu de temps encore.

Je n'étais toutefois pas au bout de mes surprises, la principale surgissant après le souper, alors que nous étions tous regroupés autour du feu où Simon faisait brûler, et non pas griller, toutes les guimauves.

Contrairement à ses habitudes, encore une fois, c'est papa qui prit la parole, surprenant tout le monde, sauf ma mère dont le sourire complice me paraissait assez intrigant.

– Laura, j'ai beaucoup réfléchi ces derniers temps... amorça-t-il de manière hésitante et un peu gauche, il faut l'avouer.

Mon père pouvait présider des assemblées devant des centaines de personnes sans broncher, mais il devenait totalement désemparé quand ses propos pouvaient contenir un tant soit peu d'émotions. Devant son embarras, j'avais juste le goût de lui dire de laisser tomber. Qu'il n'était pas nécessaire d'en rajouter. Qu'il n'avait pas à se forcer, mais l'attention des autres était si intense que je n'osai pas formuler un seul mot.

– J'ai réfléchi à plusieurs points... observait-il en hésitant encore. Je veux t'assurer que... J'ai toujours eu confiance en toi... Tu as toujours été une source de fierté pour nous. Je sais que tu le sais. Mais ce que tu ne sais pas, je crois, c'est à quel point nous avons assisté avec regret, ces derniers temps, à l'une des pires épreuves qui soit, et que j'aurais bien souhaité pouvoir t'éviter... Quoi que tu en penses, reprit-il rapidement, ta peine nous a tous bouleversés au plus haut point… Et je regrette, je regrette beaucoup de choses aujourd'hui sur lesquelles je n'ai plus aucun contrôle…

À part les grillons, on n'entendait aucun son, pas même Simon.

– Aujourd'hui, ta mère et moi aimerions t'offrir un cadeau. Je sais bien que, dans les circonstances, aucun bien matériel ne peut apaiser tes souffrances, mais nous espérons vraiment que tu puisses faire bon usage de ce cadeau… J'espère qu'il répondra à l'un de tes souhaits. À un souhait précieux, disons… dit-il en me tendant une enveloppe.

Mon père étant un homme de principe d'abord et avant tout, je saisissais dans le sérieux de son ton que cette enveloppe contenait quelque chose d'inhabituel, et de drôlement important à ses yeux. En regardant autour de moi, à l'affût de quelques indices, je me rendis compte qu'à l'exception de ma mère, personne ne semblait savoir ce qu'il y avait dans cette enveloppe.

– Ben là, arrête de niaiser ! Qu'est-ce que t'attends ? s'impatienta Simon.

– Oui, oui, ça vient, ça vient, dis-je en souriant et en ouvrant l'enveloppe qui, au toucher, semblait plus épaisse qu'une simple carte.

Je dus m'y reprendre par deux fois avant de comprendre ce qui se tramait vraiment. Je dus relever les yeux et regarder à deux reprises mes parents avant de croire ce que je voyais et de me rassurer sur le fait que ma vue ne me trompait pas. Le silence s'étirait en un moment trouble qui, cette fois, fut interrompu par Thomas.

– Laura, on peut savoir ? demanda-t-il pour me sortir un peu de ma torpeur.

Je lui tendis mes deux billets pour l'Alaska avant de me précipiter au cou de ma mère, puis à celui de mon père. Sur le premier billet, mon nom était inscrit en toutes lettres alors que sur le second, j'avais noté celui de mon paternel : Benoît St-Pierre. J'en étais bouche bée. Remuée. Troublée. Reconnaissante. Bouleversée, aussi.

Je n'ai jamais su si, dans les bras de papa ce soir-là, je pleurais encore mon Mitch, si je pleurais ma réconciliation avec mon père ou si je pleurais la perspective d'aller saluer une dernière fois mon amour dans son coin de… paradis. Mais je sais que pour la première fois, j'acceptai de pleurer mes émotions en bataille devant les miens, aussi échevelées soient-elles.

Jeudi 23 juin, 11 heures

Nous avions fait les choses rapidement, mais avec soin. Le dimanche, seulement deux jours après avoir reçu mes billets, ma deuxième rencontre avec Caroline avait été douce et belle. Elle avait été très émue de lire le dernier courriel que Ian m'avait envoyé peu de temps avant son décès, et que je lui avais fait imprimer, avec caractère gras sur une phrase en particulier :

« J'en ai vu des beaux endroits, mais l'Alaska, Laura, c'est vraiment mon coin de paradis préféré à ce jour… »

Mardi, elle avait organisé une réunion de famille qui leur avait permis de se recueillir ensemble, et elle avait accepté, des larmes plein les yeux, de me remettre l'urne de son frère dans l'un des moments les plus troublants qu'il m'eût été donné de vivre. J'avais regagné la voiture encore bouleversée, l'urne collée contre mon cœur, la main de mon père sur la mienne. Nous avions roulé en silence jusqu'à la maison.

Hier, mercredi, nous n'avions pas échangé beaucoup non plus en avion sur le trajet qui nous avait menés de l'aéroport de Bradshaw jusqu'à Anchorage. Ce matin, nous avions toutefois retrouvé nos mots en constatant l'étendue de la beauté qui nous entourait dans le coin de paradis de Ian. Et ce n'était rien encore.

Évidemment, mon père m'avait consultée avant de réserver le tour en hélicoptère qui devait surplomber, en après-midi, le lieu où Ian avait perdu la vie. Il avait pris soin de louer l'appareil pour nous deux seulement, de manière à ce que je puisse réaliser mon souhait, le vœu de Ian, avec l'autorisation spéciale du pilote qui avait acquiescé à notre demande. C'est avec une crainte bien réelle que j'avais embarqué dans cet hélicoptère, mais il était hors de question que ma trouille des hauteurs m'empêche de vivre ce moment important.

L'urne toujours serrée contre moi, je pris le temps de regarder amplement le panorama à couper le souffle qui se déployait en dessous de nous, autour de nous, partout. Je ne m'attendais toutefois pas à ce que le pilote entame une descente au beau milieu de ce gigantesque espace. C'est avec émotion que je compris alors que mon père avait organisé les choses pour que je puisse toucher le sol…

Je pleurais déjà quand le moteur de l'hélicoptère coupa et que je vis le pilote tendre son bras vers moi pour m'aider à sortir de l'appareil. Il ne fit aucun cas de mes larmes et me demanda simplement de le suivre. Tous les trois, nous marchions dans une immensité incroyable. Je comprenais peu à peu que le scénario qui se déroulait avait été clairement planifié, et d'autant plus lorsque le pilote arrêta sa marche. Mon père me donna les indications pour la suite des choses.

– Laura, si tu poursuis ta marche jusqu'au bord du rocher que tu vois, là-bas, tu vas surplomber exactement le lieu où les secouristes ont retrouvé Ian, me dit-il avec une douceur que je ne lui avais encore jamais connue… Si tu ne veux pas t'y rendre, je peux y aller, mais si tu souhaites t'y retrouver seule, je vais respecter ton choix et te faire pleinement confiance. Tu comprendras toutefois que ni le pilote, ni moi n'allons consentir à te laisser aller sans que l'on t'installe un harnais de sécurité. Attachée ainsi, tu pourras prendre le temps qu'il faudra.

Je parvins à retenir mes larmes quand je déposai l'urne et levai les bras pour que le pilote installe les sangles de protection. Mais lorsque je m'assis enfin devant le précipice qui me faisait face, je dus m'avouer vaincue et permettre à mes sanglots de se libérer, puis de se calmer avant d'ouvrir l'urne. Le lieu était splendide. Méditatif. Je me laissai imprégner par l'atmosphère et j'adressai une prière à la beauté du monde.

Le silence était immense. Je sentais la splendeur de la nature s'infiltrer en moi à chacune de mes longues inspirations. La sensation de paix qui m'envahit à ce moment-là était plus grande que tout ce que j'avais jamais vécu jusque-là. Dans ma tête, je parlais avec Ian et je suis convaincue qu'à cet instant précis, la communication avec le Ciel était en ligne directe.

Dès lors, je sus que je ne pourrais jamais plus apprécier la nature autrement qu'avec ce regard. Ian me l'avait enseigné sans même le savoir. Et c'est en paix, dans ce climat de béatitude, que je parvins à déverser les cendres de mon amour dans le plus beau coin de paradis qui soit. Je le laissai s'envoler dans un adieu troublant, mais d'une pure beauté. Et je sais qu'à ce moment-là, je fus en totale symbiose avec la vie. Avec ma vie.

Mercredi 6 juillet, 18 h 30

C'est Thomas qui répondit à la porte. C'est moi qui fus interpellée. Et c'est la seule présence de l'huissier qui me fit comprendre qu'une fois de plus, j'avais un dernier rendez-vous avec Didier Dunlop. Je sus dès lors qu'à défaut de lui souhaiter la mort... j'étais prête à faire tout en mon pouvoir pour qu'il gagne définitivement le chemin de la prison. J'en étais non seulement convaincue, j'y étais résolue. Je dirais même que j'avais hâte de clore ce chapitre.

Trop curieux, Thomas et Zoé s'étaient installés de chaque côté de moi, sur le divan, pour lire eux aussi la nouvelle citation à comparaître me convoquant pour le 12 juillet prochain au palais de justice de Bradshaw, à 9 heures précises.

Au *Courrier Belmont*, on était bien au fait du procès et de la possibilité que je devrais m'absenter quelques journées pendant l'été pour pouvoir retourner à la barre des témoins. Mon entrée en fonction dans la salle de rédaction, deux jours plus tôt, s'était déroulée tout en douceur.

Lundi, on m'avait donné une formation pour m'initier aux ordinateurs de la place et mardi, on m'avait confié ma première vraie assignation. Celle-ci consistait à interviewer des travailleurs saisonniers arrivés du Mexique pour passer l'été à œuvrer au sein d'une entreprise maraîchère située près de Belmont.

J'étais soulagée que ma convocation au procès arrive en tout début de stage. À peine une heure après la visite de l'huissier, Me Rossi nous contactait d'ailleurs pour qu'une fois encore, nous nous rendions à Bradshaw un jour plus tôt de manière à bien me préparer.

– Je veux y aller cette fois, avisa Thomas, catégorique, dès que mes parents furent revenus à la maison et informés de ce nouveau rendez-vous avec la justice.

– Nous y allons tous, cette fois, annonça mon père avec le même ton catégorique.

– Moi aussi ? tenta Simon.

– Toi aussi, affirma papa, créant une frénésie immédiate du côté du frérot.

– Moi aussi ? glissa Zoé sur le même ton que Simon.

– Toi aussi, nota mon père, sourire en coin. Ça va bien prendre quelqu'un pour accompagner Laura dans sa chambre puisque nous partagerons la nôtre à deux lits doubles avec Thomas et Simon…

– Oh non ! scandèrent mes deux frères en chœur.

– Ah oui ! répondirent mes parents du tac au tac.

De plus en plus souvent, désormais, je m'entendais rire. Et comme si mes rires lui avaient manqué à elle plus qu'à quiconque, Zoé avait redoublé d'ardeur du côté de ses pitreries. Elle n'en demeurait pas moins à l'écoute et me réservait toujours du temps au cœur de ses journées, avec la complicité de Thomas.

Ce soir-là, elle fut toutefois étonnée de m'entendre refuser son invitation au cinéma, d'autant plus qu'elle avait pris soin de choisir un film mettant en vedette Ryan Gosling…

– Ça va, Laura ? m'interrogea-t-elle dès que nous nous retrouvâmes seules sur le patio.

– Oui, merci.

– T'es certaine que tu n'as pas quelque chose à me dire ? Tu peux tout me dire…

– Je le sais, mais il n'y a rien de nouveau, je te jure…

– Il te manque ?

– Beaucoup…

– …

– Tout ce temps, je sentais qu'il était quelqu'un de bien et que mon amour pour lui n'était pas ordinaire. Je savais qu'il n'était pas comme les autres gars, mais je ne pouvais pas me douter à quel point j'étais tombée pile sur le genre d'homme que je désirais avoir dans ma vie… J'ai encore de la difficulté à faire mon deuil de Ian, mais aujourd'hui, je réalise aussi que j'ai de la difficulté à faire le deuil de mes rêves, de mon idéal…

– Je comprends… balbutia mon amie. Mais je m'inquiète aussi un peu. Est-ce que tu crois qu'avec tout ce que tu viens de vivre, tu es vraiment prête pour affronter un contre-interrogatoire dans un procès ? Tu sais comment Me Rossi dit qu'ils ne t'épargneront pas… Je n'ai pas envie qu'ils te démolissent le moral !

– Oh, ne t'inquiète pas avec ça, Zoé. Bien au contraire, je crois même que je suis plus prête que je ne l'ai jamais été.

– C'est vrai ?

– Mets-en. Avec ce que je viens de traverser, ce contre-interrogatoire m'apparaît comme de la petite gomme ! Didier Dunlop ne s'en sortira jamais, je peux te le jurer… Il est cuit !

Mon amie semblait rassurée, et réjouie.

– Tu as changé, Laura…

– Je sais. Je suis rendue plate, hein ?

– Non, pas du tout ! Quand je dis que tu as changé, ce n'est pas en mal… C'est juste que… J'ai l'impression d'être plus jeune que toi maintenant !

Je ne pus m'empêcher de rire.

– Sur ce point, rassure-toi Zoé, rien n'a changé…

– Heu… Et tu crois que ça doit vraiment me rassurer ?

Mardi 12 juillet, 15 h 45

À l'instant précis où le greffier invita l'assistance à se lever pour laisser le juge Leclerc quitter la salle d'audience, je savais que Didier Dunlop était cuit. Pendant tout le contre-interrogatoire, il m'avait fusillée du regard. En sortant de la salle, il en avait rajouté. L'homme était furieux, et pour cause.

J'avais mordu dans toutes les questions de l'avocat de la défense pour retourner la situation contre son client avec une verve qui m'avait étonnée moi-même. Le matin, en me rendant à la barre des témoins, je me sentais plus résolue que jamais. Zoé n'avait pas su si bien dire quand elle soulignait que j'avais changé.

J'étais également prête à affronter les journalistes. Pour la première fois, Me Rossi m'avait autorisée à répondre à leurs questions, tout en me donnant les indications nécessaires pour ne pas nuire à la cause. Or, c'est plutôt sur ma « performance à la barre des témoins » que les journalistes m'avaient questionnée, tous réunis autour de moi avec leur attirail de micros et de caméras de télévision à l'éclairage éblouissant…

Bernard Johnson appelait cela un « scrum ». Dans la cohue, j'avais tout de même porté une attention particulière à sa collègue du *Métropolitain*,

Édith Major, qui était au premier rang. Les futurs collègues d'abord, me disais-je... C'est d'ailleurs à elle que j'avais ajouté un ou deux commentaires à la fin, à l'écart des autres.

À l'issue de cette journée, j'étais particulièrement contente de retrouver la famille Johnson pour le souper festif qui s'était organisé en soirée. Cette fois, c'est Bernard Johnson qui avait choisi le restaurant afin de nous assurer un maximum d'intimité. Le lieu était tout près de son journal et c'est précisément à cet endroit que les journalistes du *Métropolitain* se retrouvaient fréquemment pour manger tranquilles.

Le lieu était très sobre, même vieillot, un peu à l'image d'une brasserie. Contrairement au restaurant de l'hôtel, à l'exception de quelques clients solitaires éparpillés ici et là, nous avions pratiquement la place exclusivement pour nous.

À un seul moment, notre petit groupe avait interrompu les célébrations quand, sur l'écran de télévision qui trônait dans un coin de la salle à manger, on avait vu apparaître des images du procès.

Bernard Johnson s'était montré rapide. Visiblement habitué à ce lieu, il avait immédiatement demandé à la serveuse de monter le son pour nous permettre de suivre le reportage, ce qu'elle avait fait avec plaisir.

Nous n'avions manqué que l'introduction de la présentatrice de nouvelles discutant en direct avec une journaliste qui se tenait devant le palais de justice et qui expliquait la cause, avant de proposer aux téléspectateurs d'écouter une entrevue qu'elle avait réalisée plus tôt avec Me Rosa Rossi.

La procureure de la Couronne analysait avec de très beaux mots mon « aplomb », disait-elle, et ma « performance » à la barre des témoins lors de ce contre-interrogatoire « extrêmement difficile ».

La journaliste avait poursuivi en rapportant la fusillade de questions que m'avait réservée l'avocat de la défense qui a tout fait, disait-elle, pour entacher ma crédibilité, sans y parvenir.

Sur ces paroles, on avait par la suite montré au petit écran des images de moi accordant des entrevues au groupe de journalistes qui m'entouraient. Autour de la table, plus personne ne parlait.

– Mademoiselle St-Pierre, quels sont les sentiments que vous entretenez aujourd'hui à l'égard de l'accusé Didier Dunlop ?

On voyait que je réfléchissais à grande vitesse, les yeux un peu plissés par l'éclairage de la caméra.

– Je n'en ai aucun...

– Avez-vous vu comment il vous regardait quand les gardiens l'ont emmené ?

– Je l'ai vu, oui...

– Vos commentaires ?

– Eh bien... Je ne crois pas que je sois son seul problème...

Je n'avais pas remarqué, dans le feu de l'action, que cette phrase avait fait sourire les journalistes.

– Et quelle sentence souhaitez-vous dans cette cause ? enchaîna un autre.

– Je souhaite seulement que justice soit rendue…

Ma réponse avait été rapide, après quoi on retrouva l'image de la journaliste qui complétait son topo en expliquant cette fois la suite des procédures qui devaient se dérouler dans cette cause. Elle y précisait que les plaidoiries allaient suivre et que la sentence devrait tomber au cours des prochaines semaines.

Mais je ne l'entendais plus. Il me revenait plutôt à l'esprit la réponse plus complète que j'avais donnée à Édith Major, du *Métropolitain*…

La fébrilité reprit de plus belle à notre table, tous se trouvant à la fois soulagés et satisfaits de cette dernière journée d'audience.

– Si vous pensez veiller assez tard, je peux aussi aller chercher l'une des premières copies du *Métropolitain* fraîchement sorti de l'imprimerie, vers minuit. Le journal est à cinq minutes, suggéra Bernard Johnson.

Mon groupe vota à l'unanimité pour la version «longue soirée»…

Mon mentor me surprit néanmoins quand il me proposa, à 23 h 45, de l'accompagner à la salle de rédaction.

Le lieu, rempli de bureaux désordonnés, était passablement plus grand que ce que j'avais imaginé. L'atmosphère était tout de même calme, quand j'y fis mon entrée. Je ne pouvais pas croire que, dans deux ans, je me retrouverais assise à l'un de ces bureaux… Mes yeux devaient être immenses.

Certains journalistes s'y trouvaient encore, mais si l'on en jugeait par l'encombrement des lieux et le travail des préposés à l'entretien, il y avait certainement eu beaucoup de monde à l'ouvrage plus tôt en soirée.

Dès qu'ils m'aperçurent, deux collègues de Bernard Johnson vinrent spontanément me serrer la main, ne manquant pas de commenter la nouvelle pendant que Bernard Johnson s'était absenté quelques minutes, revenant tout sourire avec le journal dans ses mains.

– À toi l'honneur, dit-il en me désignant ce qui semblait être une petite salle d'entrevue.

Il me tira une chaise, déposa le journal du 13 juillet devant moi, ouvert en page trois, et lut par-dessus mon épaule.

Laura St-Pierre démolit la défense du professeur Dunlop
Édith Major
Bradshaw

Du haut de ses seize ans, Laura St-Pierre, une jeune fille originaire de Belmont, a littéralement démoli la défense de l'ex-enseignant Didier Dunlop, hier après-midi au palais de justice de Bradshaw. L'homme doit répondre à des accusations d'agressions sexuelles sur des élèves du Collège Fisher de Bradshaw, possession de stupéfiants, administration d'une drogue dans l'intention de commettre un acte criminel et voies de fait.

Dans un contre-interrogatoire très serré et particulièrement virulent, l'avocat de la défense, Me Marc Dorval, n'est pas pour autant parvenu à écorcher la confiance de la jeune fille. Cette dernière a plutôt profité de ses questions pour renverser la situation, de manière encore plus incriminante pour l'accusé. En quittant la salle sous l'escorte des agents des services correctionnels, Didier Dunlop a d'ailleurs toisé mademoiselle St-Pierre pendant un moment, ce qui n'a pas semblé la troubler outre mesure.

On se rappellera qu'au mois de mai, Laura St-Pierre avait témoigné de manière efficace, quoique plus timidement, contre Didier Dunlop. Elle avait alors commenté notamment les images d'une vidéo qu'elle avait elle-même captées sur les lieux des prétendus méfaits.

Hier, la jeune femme semblait plus aguerrie, de sorte que toutes les tentatives d'intimidation de la part de la défense ont avorté. À quelques reprises, le juge Robert Leclerc est d'ailleurs intervenu pour remettre à l'ordre l'avocat de la défense.

On apprenait par ailleurs hier que de nouvelles accusations à caractère sexuel seraient levées contre l'accusé, cette fois par d'anciennes élèves de l'illustre collège privé dont la crédibilité est aujourd'hui âprement entachée.

À l'issue du contre-interrogatoire, hier après-midi, la jeune femme se disait soulagée de la tournure des événements et satisfaite du déroulement du contre-interrogatoire. « J'ai fait de mon mieux et je crois que tout s'est bien passé », a-t-elle commenté, sous le regard de la procureure de la Couronne, Rosa Rossi.

À la question d'un journaliste qui l'interrogeait sur ses souhaits quant au sort de l'accusé, Laura St-Pierre a joué de prudence. « Je souhaite seulement que justice soit rendue », a-t-elle dit.

Rencontrée quelques minutes plus tard, la jeune femme a toutefois complété sa réponse. « S'il se retrouve en prison, je souhaite simplement qu'il soit suffisamment seul dans sa cellule pour y vivre ses regrets. J'ai appris dernièrement que la solitude pouvait apporter son lot de lumière, dit-elle. Pour le reste, je fais confiance… »

– Laura, tu as été tout simplement impeccable, souffla Bernard Johnson.

– J'ai eu un bon mentor… Et de me retrouver ici ce soir, dans ma future salle de rédaction… Vous ne pouvez pas imaginer ce que cela me fait… J'ai trop hâte.

– Ce sera un plaisir de travailler avec toi ! J'ai déjà commencé à te suivre dans les pages du *Courrier Belmont* et je vois que tes débuts officiels se passent bien. Le contraire aurait été étonnant. Le moins que l'on puisse dire, c'est que tu en as vu d'autres…

– Et je vous en suis reconnaissante. Merci pour tout, Monsieur Johnson. Pour tout… Pour la compréhension aussi. Quand vous m'avez confié la mission du Collège Fisher, vous ne vous doutiez sûrement pas que les événements se bousculeraient autant… n'est-ce pas ?

– Justement. Sachant ce que je sais, je me demande où tu as trouvé la force pour faire face au contre-interrogatoire avec tant de conviction.

– Je ne me l'explique pas non plus… laissai-je tomber. Ne le répétez à personne, mais je crois qu'un ange magnifique veille sur moi. *Off the record* !

FIN

Je tiens à remercier :

Le clan Perro, pour l'accueil, la confiance et l'appui
Benoit Bouthillette, pour le souci du détail
et l'aide amicale
Stéphane Lemaire, mon conjoint, pour l'ensemble
de l'œuvre

Suivez Laura St-Pierre sur

www.facebook.com/lindacorboauteure